KB020683

영화로 배우는

말의 품격

영화로 배우는
말의 품격

초판 1쇄 발행 | 2018년 10월 5일
초판 2쇄 발행 | 2018년 11월 23일

지은이 | 유연정

펴낸곳 | 보랏빛소
펴낸이 | 김철원

기획 · 편집 | 김이슬
마케팅 · 홍보 | 박소영
디자인 | 박영정

출판신고 | 2014년 11월 26일 제2014-000095호
주소 | 서울특별시 마포구 월드컵북로6길 60, 덕산빌딩 203호
대표전화 · 팩시밀리 | 070-8668-8802 (F)02-338-8803
이메일 | boracow8800@gmail.com

영화로 배우는 말의 품격

명대사처럼 우아해지는 나의 말하기

유연정 지음

보랏빛소
Borabit Cow

CNN, CBS 등에서 기자와 앵커로 활동한 소통전문가 카마인 갈로는 '인공지능 시대, AI가 많은 기술을 대체할 수 있지만 소통이 뛰어난 인물만은 살아남을 수 있다'고 했다. 나 역시 오랜 세월 기업의 경영자로 지내는 동안 커뮤니케이션의 중요성을 절감해왔기에 조직 구성원들의 발표력, 설득력 그리고 무대 체질화 향상에 관심이 많았다. 〈영화로 배우는 말의 품격〉은 그런 내게 큰 감동을 선사했다. 타고난 감각과 아나운서의 경험 그리고 꾸준한 탐구력까지 갖춘 저자는 탁월한 혜안으로 매 장마다 외워서 따라 해보고 싶은 영화 속 대사와 그렇게 되기 위한 비법을 관점별로 요약해 놓았다. 이 책이 소개하는 영화를 표현의 품격 관점에서 제대로 다시 감상해봐야겠다.

_노연상 (㈜경동원 대표, 전 에쓰오일 사장)

이토록 쉽고 편안한 말하기 책이 또 있을까! 아름다운 영화를 눈과 귀로 감상하는 것에서 그치지 않고, 마침내 나의 입으로 말할 수 있게 도와주는 선물 같은 책이다. 명대사뿐만 아니라 불안한 마음을 다스리는 비결, 말할 소재가 없을 때 대화를 이끌어내는 노하우, 직장에서 상사에게 제대로 보고하는 기술, 말을 더듬는 증세를 완화시키는 방법 등 말하기의 모든 것이 담겼다. 이번 주말엔 이 책과 더불어 근사한 영화 한 편으로 우아한 말의 기술을 배워보는 게 어떨까.

_성연미 (봄온 아나운서 스피치 아카데미 대표, KBS 12기 아나운서)

식상한 스피치 이론에서 벗어나, 참신한 소재와 친근한 콘텐츠를 통해 공감할 수 있는 화법을 전달해주는 책. 말하기 능력이 자산이 되는 시대에 어떻게 말을 시작해야 할지 모르겠다면, 이 책이 소개하는 영화 속 주인공들에게 감정이입을 해보기 바란다. 내가 누구인지를 진정성 있는 메시지로 당당히 표현하고 싶은 이들에게 권하고 싶다.

_정운숙 (KBS 춘천총국 아나운서)

책을 받아들고 제목과 첫 문장을 보자마자 요동치는 가슴을 주체할 수 없었다. 생동감 있는 노하우와 기염을 토하는 깊이를 새로운 방식으로 풀어낸 저자의 노고가 고스란히 전달됐다. 기존의 스피치와 말하기 관련 책들을 일렬로 나열하면 서울역에서 부산역까지 족히 되지 않을까? 나는 이 책이 스피치와 말하기 책 중 단연 최고라고 말하고 싶다. 이렇게 쉽고 재미있으면서 깊이가 있는 책은 처음이다. 말을 비롯한 모든 고민의 시작은 바로 인간관계라고 한다. 원활한 인간관계를 통해 성공적인 삶을 살길 바라는 모든 분의 일독을 권한다. 강사이자, 강사를 코칭 하는 코치로서 이 책을 강사들에게 또한 강력하게 추천한다.

_장한별 (한국강사플랫폼 대표, 《기적의 7초 고객서비스》 저자)

'말'은 둘째다. '마음'이 먼저다.
'이론'은 내일이다. '실천'은 오늘이다.
건강한 자존감과 실용적인 접근의 만남.
이 책이 갖고 있는 그 만남의 시너지는 실로 위대하다.
자, 지금 말을 하자.

_한지상 (뮤지컬 배우)

저는 타고난 성격이 내성적인 사람입니다. 시선이 집중될 때 울렁증이 생기는 것과 작은 목소리가 콤플렉스였죠. 그런데 유연정 강사님의 강의를 들으며 제 인생이 달라지기 시작했습니다. 저도 몰랐던 내면의 문제점들을 콕콕 끄집어내 주시는 강사님 덕분에 자아를 발견할 수 있었고, 실전에서 바로 활용할 수 있는 유용한 팁들과 노하우가 있어 자신감도 붙었습니다. 강의를 들은 후 가장 큰 변화를 보인 것은 인간관계입니다. 그동안은 상대방이 내 말에 집중하지 않는다고 느꼈었는데, 이제는 많은 친구들 앞에서도 제 의견을 제대로 전달할 수 있게 되었고, 나아가 사회생활에서도 큰 힘이 되고 있습니다.

_송민우 수강생 (헤어 디자이너)

프레젠테이션을 주로 하는 회사원입니다. 매번 발표를 잘하고 싶은 마음에 스스로 발음 연습을 하면서 더 나은 스피치를 위해 노력했으나 쉽게 개선되지 않았습니다. 답답한 마음에 유연정 강사님을 만나게 되었고, 그동안 제가 고민하던 발성과 발음의 문제점을 정확하게 진단해주시고 구체적인 교정법까지 알려주셨습니다. 매주 강의를 들을 때마다 더 좋은 목소리가 나왔고 발표력도 향상되어 정말 보람 있었습니다. PT를 할 때의 마음가짐을 알려주신 덕분에 마인드컨트롤에도 많은 도움을 받았습니다.

_정지원 수강생 (프레젠터)

"안녕하세요. 바둑에서 삶을 읽고 싶은 김예슬입니다!"
유연정 강사님의 스피치 수업을 듣고 밋밋했던 제 자기 소개가 달라졌습니다. 바둑에서 초반/중반/종반의 내용이 좋아야 승리하듯이 스피치에서도 구성이 중요성함을 배웠고, 이후 바둑에서 삶을 읽어가듯 스피치에도 제 삶을 녹여낼 수 있었습니다. 두서없던 제 스피치에 포석을 잘 깔아주신 유연정 강사님께 정말 감사 드립니다.

_김예슬 수강생 (바둑 캐스터)

저는 필라테스 강사로 일하고 있습니다. 평소 강의를 많이 하다 보니 목이 쉬다 못해 아픈 증상까지 있었는데요, 유연정 강사님의 스피치 수업을 통해 힘 있는 발성과 정확한 발음을 배운 후부터는 목에 힘을 주지 않고도 큰 목소리로 이야기를 전달할 수 있게 됐습니다. 덕분에 목소리도 덜 쉬고 목소리 톤이 좋아졌다는 소리도 많이 들었습니다. 저의 스피치 멘토이신 유연정 강사님의 가르침을 본받아 사랑 가득한 의사소통자가 되겠습니다.

_Aileem Jheom 수강생 (필라테스 강사)

말을 잘한다는 건 멋진 제스처와 고급스러운 단어 사용, 그리고 구조화를 잘하는 게 전부라고 생각했습니다. 그런데 강사님의 수업을 듣고서야 깨달았습니다. 듣는 사람을 고려한 말이야말로 정말 잘하는 말이며, 듣는 사람에게 애정을 쏟을 때 말의 의도를 꽃 피울 수 있다는 사실을. 마음의 연약함이 많던 시기에 제게 큰 깨달음과 내면의 건강함을 일깨워주신 강사님 덕분에 더욱더 건강한 스피치를 할 수 있게 되었습니다.

_서혜영 수강생 (회사원)

유연정 강사님의 강의는 스피치를 시작하고자 하는 사람들의 바이블입니다. 다양한 교육을 받아보았지만 큰 변화를 느끼지 못했는데, 강사님의 교육은 달랐습니다. 신체를 어떻게 써야 효과적인 발성이 나오는지, 내용 전달을 잘할 수 있는지 체계적으로 알 수 있었습니다. 저처럼 더 성장하고 싶어하는 사람들에게 강력하게 추천합니다!

_양윤선 수강생 (프레젠터)

말을 잘하고 싶은 당신을 위해

'왜 이론을 알아도 말을 제대로 할 수 없을까?'

고민은 여기에서 시작됐습니다. 그리고 어떻게 해야 말을 잘하는 방법을 조금 더 쉽게 이해하고 삶에 적용할 수 있을까 많은 날을 연구했습니다.

말하기와 관련된 이론서는 많습니다. 그러나 이론을 많이 안다고 해서 말을 잘할 수 있는 것은 아닙니다. 말의 본질이 기술에 있지 않기 때문입니다. 말은 기술로만 하는 것이 아니지요. 저 또한 10여 년간 스피치 교육을 해오고 있지만, 이론을 알려준다고 해서 바로 말을 잘하게 되는 것은 아님을 확인하곤 합니다. 물론, 발표력은 일시적으로 향상되기도 합니다. 그러나 여러분이 정녕 원하는 것은 준비된 스피치뿐만이 아니라, 특별히 말할 내용이 준비되지 않은 일상의 여러 상황에서도 막힘없이 잘 말하고 싶은 것임을 알고 있습니다. 아마도 그래서 이 책을 읽고 계실 겁니다.

말을 잘하기 위해서는 먼저 준비해야 하는 것들이 있습니다. 이 책에서는 어떤 준비들을 통해 내 말의 품격을 더 높일 수 있는지 먼저 소개했습니다. 말하기 능력을 향상시키기 위해 또 중요한 것이 있는데 바로 실생활에 적용하고 연결시키는 능력입니다. 이것이 핵심입니다. 교육시간에도 이론과 실전의 연결을 어려워하시는 분들은 "선생님이 한번 보여주세요." 혹은 "도움이 될 만한 영상이 있을까요?"라고 질문합니다. 머리로는 알지만 정작 입 밖으로 나오지 않는 까닭입니다.

이 책은 이렇게 말을 잘하고 싶지만 방법을 몰라서, 혹은 방법을 알아도 어떻게 활용해야 하는지 몰라서 헤매는 분들을 위하는 마음으로 쓰게 됐습니다.

생생한 이해를 돕기 위해 도움이 될 만한 영상으로 몇 편의 영화를 책에 담아냈습니다. 영화에는 누군가가 오랫동안 고민하고 잘 다듬어 놓은 명문장이 숨겨져 있습니다. 지금까지 단순히 문화생활을 하면서 시간을 보내는 용도로만 영화를 봐왔다면, 이제는 주인공들의 상황과 대사에 조금 더 집중하며 영화를 통해 말하기의 모든 것을 배워보시기를 권합니다.

이 책을 읽고 책에서 소개하는 영화를 함께 보고 나면 '아, 이런 상황에서 이렇게 사용해볼 수 있겠구나.' 하고 구체적으로 시각화할 수 있을 것입니다. 부디 읽으면서 생생하게 이해하고, 삶에 바로 적용시켜 보십시오.

누구에게나 말하는 것에 어려움이 느껴지는 순간이 있습니다. 살다보면 어느 날 갑자기 말하는 것 자체에 두려움을 느끼게 되기도 하고, 누군가 갑자기 한 말씀 해달라고 부탁하는 자리에서 도무지 할 말이 떠오르지 않아 애를 먹기도 하고, 처음 만난 사람과 어떤 이야기를 나눠야 하는지, 상대방에게 어떻게 말해야 호감을 느끼게 할 수 있는지 고민이 되기도 합니다. 또 화가 나는 순간에 상대방에게 온갖 독설을 뿜어내는 것이 아니라 조금 더 지혜롭고 품위 있게 말하고 싶어지기도 하고, 누군가의 가슴에 감동을 주는 멋진 말 한마디가 간절하게 필요한 날들이 있습니다. 그 여러 날 속에 이 책이 고민은 덜어주고 지혜는 보탤 수 있게 되기를 바랍니다.

말을 더듬어서 고민인 분부터 스피치 달인처럼 말을 잘하고 싶은 분까지, 마음을 담아 기획하고 정성껏 새겨 놓은 글자들이 이제 여러분의 품격 있는 말로 살아나기를 기대하고 있겠습니다.

말:이 살찌는 계절에

유연정

차례

마음이 다치면
입도 닫힙니다
;

〈츠레가 우울증에 걸려서〉 : 자존감을 회복할 것

"금이 가지 않았다는 것에
가치가 있는 거예요."

말하는 방법을 배우기 전에 가장 먼저 점검하고 다스려야 할 것은 바로 '마음'이다. 강의를 하다 보면 때때로 대중 스피치뿐만 아니라 누군가의 눈을 바라보며 제대로 대화를 하기도 어려운 사람을 만나곤 한다. 심지어 전화 통화조차 부담스럽고 떨려서 하지 못하는 경우도 있다. 여러 가지 원인이 있겠지만 '낮은 자존감'도 큰 비중을 차지한다. 마음이 다친 사람은 입도 저절로 닫히게 마련이다.

영화 〈츠레가 우울증에 걸려서〉는 주인공이 우울증에 걸려 힘들어하는 모습과 극복해가는 과정을 함께 보여준다. 스스로 형편없는 존재라고 생각할 만큼 낮아진 자존감은 정신 건강뿐만 아니라,

말을 하는 방식에도 많은 영향을 끼치게 된다. 만약 낮은 자존감으로 인해 스피치에 두려움을 겪고 있다면 이번 장을 통해 자존감을 회복할 수 있는 시간이 되길 바란다.

자존감이 낮아지면 말하는 것이 두려워진다

〈츠레가 우울증에 걸려서〉는 우리말로 '남편이 우울증에 걸려서'라는 뜻이다. 남편의 이름은 미키오. 그는 매우 꼼꼼한 사람이다. 요일별로 먹어야 하는 치즈가 정해져 있고, 매일 목에 둘러야 할 넥타이가 정해져 있을 정도다. 그가 얼마나 완벽을 추구하는지는 이력서를 작성하는 장면에서도 알 수 있다. 그는 자로 줄을 그어

한 치의 벗어남 없이 글자를 적어 넣는다.

이런 완벽주의 성향의 미키오에게 어느 날부터 불만을 토로하는 고객이 전화를 걸어온다. 그리고 반복적인 불만 전화에 의해 그의 심신은 매우 지쳐간다. 스스로를 쓸모없는 존재로 여기게 될 만큼 자존감에 문제가 생긴 그는 어느 날부턴가 알 수 없는 무력감을 느끼게 되고, 이내 우울증이라는 판정을 받게 된다. 잠도 제대로 잘 수가 없고, 식욕도 사라지고, 건망증도 심해진다. 감기처럼 몸살을 앓기도 하고, 잦은 두통과 근육통으로 괴로워한다. 급기야 사람을 마주보고 대화하는 것뿐만 아니라 전화 통화조차 어려워진다.

영화 속 주인공의 모습처럼, 말하기가 두려워지는 이유 중 하나는 낮은 자존감 때문이다. 자존감이 낮아지면 자신이 충분하지 않다는 느낌, 죄책감, 수치심, 열등감 등을 가지게 된다. 이런 상태에서 자신감이 생겨날 리가 없다. 자신감이 없으니 당연히 많은 사람 앞에 나서서 말할 수도 없다. 발표는 고사하고, 일대일로 사람을 만나는 것조차 꺼리게 된다. 매사에 자신감이 없는 자신의 모습은 스스로에 대한 믿음을 떨어트리고, 이는 곧 우울한 감정으로 이어진다. 심지어 낯선 사람뿐만 아니라 기존에 알고 지내온 사람과 말하는 것조차 두려움이 된다.

자존감과 말하기가 아주 깊은 연관이 있음을 나는 아주 오래 전부터 친언니를 보며 느껴왔다. 어린 시절, 언니에게 나는 늘 비교대상이었다. 한 살 차이로 같은 학교에 다니다 보니 가족이나 선생님들 앞에서도 종종 비교가 되었다. 나는 시험 성적에 관심이 많았고, 언니는 운동을 더 좋아했다. 그래서인지 성적은 내가 언니보다 좋은 편이었고, 언니는 체력장만 하면 전교에 소문이 날 만큼 높은 점수가 나왔다. 하지만 어른들은 운동 성적보다 학업 성적에 더 관심이 많았다. 운동으로 치면 언니는 전교 1등이었지만 그 가치를 인정받지 못했고, 집안 어르신들은 모일 때 성적에 관한 이야기를 더 많이 하셨다.

어느 순간부터인가, 날 향한 관심은 언니에게 독이 되기 시작했다. 매번 동생에게 건네는 칭찬을 들어야 했던 그녀는 점점 무력감에 빠졌고, 늘 기분이 좋지 않아 보였다. 그 감정은 곧 동생에 대한 미움으로 번졌고, 다시 자기 자신에 대한 불신으로 옮겨갔다. 본인이 잘 하는 것이 분명 있음에도 불구하고, 주변으로부터 그 가치를 인정받지 못하자 자존감에 문제가 생긴 것이다.

언니와 같이 짜장면을 배달시켜 먹게 된 어느 날, 나는 언니의 에게 문제가 생겼음을 알 수 있었다. 지금처럼 배달 어플이 없던 시절, 중국집에 전화를 걸어 배달을 시키려던 그녀는 머뭇거리다가 곧 수화기를 내려놓았다.

"나 전화 못 하겠어. 네가 해."

"뭐? 왜 그러는데?"

"몰라, 너무 떨려. 못 하겠어."

전화 한 통을 하는 것조차 두려울 정도로 자존감에 문제가 생겼던 것이다. 평상시에도 부쩍 말수가 줄어들었다.

물론, 다행히도 현재는 그렇지 않다. 중국집에서 짜장면 한 그릇 주문하는 것조차 어려워했던 그녀가 지금은 학부모들과의 상담 전화도 아무 문제없이 잘 해낸다. 곰곰이 생각해보니 그 사이 언니의 자존감이 회복되는 시간들이 있었다.

언니의 자존감이 다시 회복된 것은 중학생 때였다. 여자중학교를 다니던 언니는 운동도 잘하고 보이시한 매력으로 여자 친구들 사이에서 인기가 최고였다. 매주 팬레터가 수북이 쌓일 정도였다. 자신이 가장 잘하는 운동에서도 두각을 보이기 시작했다. 전국 대회에서 수상을 하고, 전교생이 보는 앞에서 이름이 호명돼 당당하게 수상을 한 것도 여러 번이다. 그렇게 스스로 자신이 자랑스러워지자 그녀의 자존감도 서서히 회복되어 간 것이다.

또 다른 사례가 있다. 매사에 자신감 넘치고 사람들 앞에서 긴장하지 않던 유쾌한 친구가 있었다. 그런데 뜻밖에 그 친구에게 연락이 온 것이다.

"나 사람들 앞에서 말하는 것이 너무 두려워. 어떻게 해야 하지?"

대체 이게 무슨 일일까. 사정을 들어보니, 회사에 문제가 생겨서 검찰 조사를 여러 차례 받았는데 그 과정에서 친구의 자존감이 바닥으로 떨어진 것이다. 날마다 업체로부터 온갖 비난과 욕설을 듣는 바람에 우울증상에 시달리게 됐고, 한동안 사람들 만나는 것을 꺼려할 정도로 스트레스를 받았다. 늘 유머가 넘치고 자신감이 넘치는 친구였는데 오랜만에 만난 얼굴에는 근심과 우울감만 가득하고, 자신감은 온데간데없이 사라지고 없었다. 자신감이 없으니 말하는 것 자체가 어려워진 것이다.

누구든 살면서 자존감이 낮아지는 시기가 한 번쯤은 있을 것이다. 더 높은 곳을 바라볼수록, 더 좋은 것을 갈망할수록, 타인과 자신을 비교할수록, 누군가로부터 비난을 들을수록 자존감은 쉽게 무너진다.

〈츠레가 우울증에서 걸려서〉 역시 사람은 누구나 자존감에 상처를 입고 우울증에 걸릴 수 있음을 이야기하고 있다. 영화에서 우울증을 '마음의 감기' '우주의 감기'라고 표현하듯 내 주변에도 마치 감기에 걸리듯 우울감을 호소하는 사람들이 부쩍 늘었다. 나이와 상관없이, 성별에 관계없이 "나 우울한데, 어떻게 하는 게 좋을까?" 하고 말을 걸어오는 지인들이 꽤 있다. 대화를 나누다 보면 우울함의 주된 이유는 회사에서 누군가로부터 무시당하는 느낌을 받아서, 미래가 불안해서, 사랑하는 사람에게 버림받아서 등 다양하지만, 종합해보면 '스스로 쓸모없다고 느껴졌을 때' '자신이 보잘것없는 존재라고 느껴질 때' 우울감이 찾아오는 듯했다.

우울증 뒤에는 스스로 만들어낸 낮은 자아상이 있다. 원인은 모두 다르지만, 공통된 특성은 아무것도 할 수 없는 것처럼 느끼는 것이다. 그야말로 아무 의욕도, 의지도 생기지 않는 상태. 그래서 입까지 닫아버리는 상태가 된다. 따라서 말을 잘하기 위해서는 나의 자존감부터 다스려야 한다. 그래야 중국집에 전화 한 통이나마 자유롭게 할 수 있고, 타인에게 나의 의사를 분명히 전달할 수 있으며, 대중 앞에서 근사한 스피치도 할 수 있게 된다. 이번 장을 통해 내면을 치유하고 자존감을 회복시켜 말을 잘할 수 있는 방법을 알아보자.

당신의 자존감은 안녕하십니까?

사람들 앞에서 말하기가 두렵다면, 우선 자신의 자존감 지수를 체크해보자. 타인의 평가에 지나치게 영향을 받는 것은 아닌지, 자신의 자존감을 타인의 손에 쥐어주고 혼자 상처 받고 있는 것은 아닌지 점검해볼 필요가 있다.

문항	대체로 그렇지 않다	보통 이다	대체로 그렇다	매우 그렇다
1. 나는 내가 다른 사람들처럼 가치 있는 사람이라고 생각한다.	1	2	3	4
2. 나는 좋은 성품을 지녔다고 생각한다.	1	2	3	4
3. 나는 대체적으로 성공한 사람이라는 느낌이 든다 .	1	2	3	4
4. 나는 대부분의 다른 사람들과 같이 일을 잘할 수 있다.	1	2	3	4
5. 나는 자랑할 것이 별로 없다.	4	3	2	1
6. 나는 내 자신에 대해 긍정적인 태도를 가지고 있다.	1	2	3	4
7. 나는 내 자신에 대해 대체로 만족한다.	1	2	3	4
8. 나는 내 자신을 좀 더 존경할 수 있으면 좋겠다.	4	3	2	1
9. 나는 가끔 내 자신이 쓸모없는 사람이라는 생각이 든다.	4	3	2	1
10. 나는 때때로 내가 좋지 않은 사람이라고 생각한다.	4	3	2	1

로젠버그 자존감 지수 (Rosenburg self-esteem scale)
(10~19점: 자존감이 낮은 편 / 20~29점: 자존감이 보통 수준 / 30점 이상: 자존감이 매우 높은 편)

미국의 심리학자이자 비폭력 대화의 저자로 알려진 마셜 로젠버그의 자존감 테스트 문항을 통해 당신의 자존감이 어느 정도인지 알아보자. 문항을 읽고 자신이 해당하는 곳의 점수에 체크를 한 뒤, 모든 점수를 합산하라. 10~19점이라면 자존감이 낮은 편이고 20~29점이라면 보통 수준, 30점 이상이라면 자존감이 매우 높은 편이라고 한다.

혹시 자신이 자존감이 낮은 편에 해당한다면 이제 자존감을 높이기 위한 훈련을 시작해보자. 보통 수준이나 높은 수준으로 나왔다 하더라도, 너무 방심하지 말고 수시로 자신의 자존감을 체크하고 점검해보길 권한다.

과연 자존감이란 무엇일까? 자존감은 자기 자신을 인정하고 존중하는 마음의 척도를 말한다. 자신이 사랑받을 만한 가치가 있는 존재이고, 어떤 성과를 이루어낼 만한 유능한 사람이라고 믿는 마음을 자아 존중감, 자존감이라고 부른다.

《자존감의 여섯 기둥》의 저자, 너새니얼 브랜든은 '자존감을 정신 건강의 척도라 할 때, 이보다 더 긴급한 주제는 없다.'고 단언한다. 그만큼 자존감은 말하기뿐만 아니라 한 사람의 인생 전반에 걸쳐 아주 중요한 영향을 미친다. 그는 타인이 자기 평가의 주된 원천이라는 생각은 위험하다고 조언하고 있다. 그 이유는 첫째, 타인의 평가는 자존감에 도움이 안 되며 둘째, 계속 타인의 평가에 의존하다 보면 타인에게 인정받는 것에 중독될 위험이 있기 때문이다.

나는 그의 주장에 깊게 공감한다. 타인의 평가에 의존할수록 타인에게 끌려 다니는 삶을 살게 될 가능성이 높아진다. 타인에게 인정받기 위해 부당함을 감내하며 모든 희생과 헌신을 감당하고 있다면, 자신의 삶을 재점검해봐야 할 것이다.

타인의 평가보다 중요한 것은 '자신에 대한 스스로의 평가'이다. 자신을 신뢰하고 존중하는 마음이 크다면 외부의 평가에 크게 영향을 받지 않게 된다. 오히려 '남이 나를 어떻게 다 알 수 있겠는가' 하며 타인의 시선을 다 받아들일 필요가 없음을 깨닫게 된다. 자신이 근사한 직업을 가지게 되어서가 아니라, 자신이 명품 브랜드의 옷을 입고 있어서가 아니라, 외부의 모든 좋은 요소들이 어느 날 다 사라지고 나 홀로 남겨졌을 때에조차 '나는 나대로 가치 있는 존재'라는 온전한 믿음이야말로 진정한 자존감이라고 생각한다. 자존감이 채워지면 남의 시선은 하나의 관점일 뿐이고, 타인의 평가는 하나의 의견일 뿐이라는 사실을 알게 될 것이다.

자존감을 높이는 5가지 셀프 훈련법

그렇다면 자존감을 높이려면 어떻게 해야 할까? 이 말을 조금 바꾸어 말하면 '어떻게 나 자신을 사랑할 수 있을까?'와 비슷한 의미가 된다. 일상에서, 사람 사이에서 자신을 조금 더 사랑할 수 있는 5가지 방법을 알아보자.

1) 듣기 힘든 말은 한 귀로 듣고 한 귀로 흘려보낼 것

날마다 만나는 모든 사람이 내가 듣고 싶은 말만 해준다면 얼마나 좋겠는가! 그러나 그런 일은 일어나지 않는다. 아무리 피하려고 해도 상대방을 배려하지 않고 아무 말이나 하는 사람들이 주위에 꼭 있기 마련이다. 가정에서, 학교에서, 직장에서, 식당에서, 길에서… 전혀 초면인 사람부터 아주 친한 사람들마저 쉽게 상처를 주고받곤 한다.

물론 배려가 부족한 그 사람의 탓일 수 있다. 하지만 그렇다고 해서 모두와 싸움을 할 수도 없는 노릇이고, 혼자 끙끙 앓자니 스트레스가 이만저만이 아니다. 만약 바로잡을 수 없는 상황이라면 마인드컨트롤을 통해 나의 자아를 괴로움으로부터 분리시키자. 같은 자극에 반복적으로 똑같은 반응을 보이고 싶지 않다면, 원치 않는 말은 흘려보낼 줄도 알아야 한다는 것이다.

우리 몸은 영양은 흡수하고 독소는 배출시키는 시스템으로 돌아가고 있다. 좋은 것은 흡수하고 나쁜 것은 밖으로 내보내는 상태가 유지돼야 몸이 건강할 수 있기 때문이다. 우리의 마음도 마찬가지다. 독소 같은 말은 한 귀로 듣고, 다른 한 귀로 내보낼 수 있어야 한다. 독성이 가득한 말을 밖으로 내보내지 않고 속에 담아 두면 마음의 균형은 곧 깨지고 만다. 그리고 병이 든다. 자신에 대한 타인의 평가를 듣기 힘든 순간이 오거든, 신이 우리에게 두 개의 귀를 주셨

음을 기억하라. 독성이 가득한 말을 들었을 때 한 귀는 흘려 내보내는 용도로 사용하기를 바란다.

2) 자신이 무엇을 좋아하고 무엇을 잘하는지 알아낼 것

자존감이 낮아진 사람들의 특징 중 하나는 자신에 대해서 잘 모른다는 것이다. 좀 더 정확하게 표현하면 자신에 대해서 깊게 생각해본 적이 거의 없다. 그래서 자신이 정말 원하는 것이 무엇인지 자신의 내면과 만나지 못한 사람들이 많다. 지금까지 있는 그대로의 자기 자신으로 살아오기보다는 타인의 시선에 본인을 맞추고, 오직 좋은 평가를 받기 위해 가면을 쓰고 살아온 날이 더 많은 것이다. 그래서 자존감이 낮아진 시기에는 타인을 탓하는 말을 많이 하게 된다. '누구 때문에 무엇을 할 수 없었다'라는 피해의식도 가지게 된다. 그러나 이보다 더 큰 문제는 자신이 무엇을 해야 하는지, 무엇을 잘할 수 있는지 전혀 알지 못하는 상태가 되는 것이다.

진로와 대인관계로 고민하던 20대 학생을 상담한 적이 있다. 이 학생을 처음 만났을 때 나는 그녀가 사람들에게 관심을 받기 위해서 자연스럽지 않은 모습으로 말하고 행동하고 있음을 발견할 수 있었다. 그리고 같은 목적으로 다양한 거짓말을 하고 있다는 사실도 알 수 있었다. 나는 그 학생에게 몇 가지 질문을 하기 시작했고, 상담이 시작된 지 얼마 지나지 않아 그녀는 자신을 도와달라며 눈

물을 흘리기 시작했다. 본인도 스스로가 마음에 들지 않는다며 무엇을 해야 할지도 모르겠고, 잘할 수 있는 것이 있는지도 모르겠다고 대답했다.

나는 학생에게 먼저 자신에 대해서 연구해볼 것을 권했다. 자신이 좋아하는 것, 자신이 좋아하지 않는 것을 체크해보고, 본인이 잘하는 것은 무엇인지, 무엇을 할 때 가장 행복하고 기쁜지 온전히 들여다보라고 숙제를 내줬다. 일주일 후, 그녀는 이 관찰만으로도 매일매일 가슴이 뜨거워지는 것을 경험했다며 소감을 전했다. 차근차근 이 과정을 거친 뒤 자존감이 회복된 학생은 머지않아 솔직하게 자신을 드러내는 대화를 나눌 수 있게 되었다.

누군가를 좋아하게 되면 자연스럽게 그 사람에 대해 알고 싶어진다. 좋아하는 음식은 무엇인지, 좋아하는 영화는 어떤 장르인지, 어떤 음악을 즐겨 듣는지, 취미는 무엇이고 특기는 무엇인지…. 이제 그 질문을 자신에게 해보는 것이다. 나 자신을 진심으로 사랑하는 마음을 가지고 말이다. 나는 무엇을 좋아하는지, 무엇을 할 때 행복하다고 느끼는지, 언제 편안하고 기쁜지.

3) 사랑하는 사람을 대하듯 자신을 대할 것

나를 사랑하지 않으면, 다른 사람도 사랑할 수 없다는 말이 있다. 자존감의 핵심은 내가 나를 존중하고 사랑해주는 것이다. 그것이 어떤 느낌인지 도저히 알 수 없다면 내가 사랑하는 사람을 어떻게 대했는지 잘 생각해보자. 부모님, 친구, 연인, 배우자, 자녀, 조카 등 내가 정말로 아끼고 사랑하는 사람에게는 아마 물 한 잔을 건넬 때도 가장 예쁜 컵을 꺼내서 줄 것이다. 가장 좋은 것을 내어주고 싶은 바로 그 마음으로 나 자신을 사랑스럽게 대해보기를 바란다. 나만큼 나를 잘 아는 사람은 세상에 없다. 그렇기 때문에 나만큼 나를 사랑해줄 사람도 없다.

바다를 좋아하면 자신을 데리고 바다를 보러 가라. 맛있는 것을 먹을 때 행복하다면 자신을 데리고 맛있는 것을 먹으러 가면 된다. 애인과 데이트 하듯, 자신과 데이트를 하면서 혼자 시간을 보내는 것은 자존감을 높이고 자신감을 얻는 데 큰 도움이 된다.

자존감이 낮은 사람들은 대체로 혼자서 밥을 먹지 못한다고 한다. 타인의 시선이 신경 쓰이기 때문이다. 그러나 걱정하지 마라. 사람들은 생각보다 남에게 관심이 없다. 혼자 밥을 먹는다 해도 아무도 신경 쓰지 않을 것이다. 당당하게 자신에게 애정을 주면서 하루 정도는 온전히 자신과 동행해 보기를 바란다.

4) 타인과 자신을 비교하지 말 것

스스로 자존감을 떨어뜨리는 가장 좋은 방법은 누군가와 자신을 비교하는 것이다. 지금 당장 자신의 눈에 가장 예쁘고 잘생겼다고 느껴지는 연예인 사진을 꺼내어 자신의 얼굴과 비교해보자. 아마 곧 외모에 대한 자신감이 떨어지기 시작하면서, 왠지 코도 조금 아쉽고, 눈도 조금 아쉬운 느낌이 들 것이다. 어쩌면 마음속으로 역시 의학의 힘을 빌려야 한다고 확신하게 될지도 모른다.

그러나 한 가지 기억할 것은, 성형을 한다고 해서 자존감이 높아지는 것은 아니라는 사실이다. 근사한 외모를 가지고 있어도 여전히 자존감이 낮은 사람들이 있다. 세상에는 여전히 나보다 더 예쁘고 잘생긴 사람이 많기 때문이다. 비교하자면 끝이 없다. 어디 외모뿐이겠는가. 더 좋은 집, 더 좋은 차, 더 좋은 옷… 가지고 싶은 것은 여전히 많다. 그러나 그런 것을 모두 가진 사람 또한 낮은 자존감으로 고통 받는 일이 비일비재하다.

자존감은 내면의 총체적인 상태다. 안으로부터 채워져야 밖으로 드러나기도 하는 것이다. 그러니 겉으로 보이는 것을 비교해가며 자신의 자존감을 더 낮게 만드는 어리석은 행위는 하지 않기를 바란다.

5) 가벼운 목표를 세워 성취감을 자주 느낄 것

일상에서 아주 작은 것부터 성취해보고 성공한 느낌을 가져보는 것은 자기 효능감을 채우는 부분에서 매우 중요하다.

너새니얼 브랜든은, 자존감에는 서로 밀접하게 연관된 두 가지

요소가 있는데, 하나는 자기 효능감(self-efficacy)이고, 다른 하나는 자기 존중(self-respect)이라고 했다. 자기 효능감이란 도전에 직면했을 때 필요한 기본적인 자신감이자 자기 자신에 대한 믿음이다. 자신에 대한 믿음을 키우기 위해서는 아주 작은 목표부터 스스로 성취해보는 경험이 필요하다. 작은 성취감들이 쌓여 자신에 대한 신뢰를 더욱 굳건히 할 수 있으니 말이다. 너무 대단한 목표를 세울 필요는 없다. 오히려 '이런 것도 목표가 될 수 있나?' 싶을 정도로 아주 일상적이고 소소한 목표가 더 좋다.

10년도 더 된 이야기다. 한 교수님께서 내게 신년 계획을 세웠느냐고 물어보셨다. 말씀이 끝나기가 무섭게 "네!"라고 힘차게 대답하며 자신 있게 10가지 정도의 신년 계획을 말씀드렸다. 교수님은 미소 띤 얼굴로 하나하나의 계획마다 고개를 끄덕끄덕 해주시며 집중해서 끝까지 들어주셨다. 그리고 드시던 찻잔을 내려놓으시며 말씀하셨다.

"자네 계획을 들어보니 자네는 올해 목표를 하나도 못 이루겠네."

충격이었다. 너무 당황해서 그 이유를 묻자, "올해가 지나보면 알게 될 것이다."라고만 말씀하셨다. '머리를 망치로 맞은 듯 했다.'는 표현이 가장 적합했던 순간이었다. 1년이 지난 후, 교수님의 말씀은 놀랍게도 현실이 되었다. 그제야 나는 깨달았다. 내가 지나치게 거창하고 대단해 보이는 계획만 세웠다는 사실을. 모든 목표가 남에게 보여주기 위한 그럴 듯한 욕심이었을 뿐 정말 나 자신에게 필요하고 간절한 것들이 아니었다.

타인을 의식해 대단하거나 거창한 목표를 세우려고 하지 말자. 오로지 나 자신이 기준이 되어야 한다. 거창한 목표를 여러 개 적어 놓고 한 개도 이루지 못하는 것보다, 아주 가벼운 목표를 세워서 매일매일 이루어내는 경험을 갖는 것이 자존감에 도움이 된다.

쫓기듯이 너무 많은 목표를 설정하지 말고, 하나씩 시작해보자. 그리고 데모스테네스의 말처럼 '아주 작은 기회로부터 위대한 업적이 시작되는 것'임을 기억하길 바란다.

츠레가 자존감을 회복한 3가지 비결

심각한 우울증으로 고생한 주인공 미키오는 어떻게 자존감을 회복할 수 있었을까? 그는 퇴사를 했고, 약 1년 정도 휴식을 취하며 차근차근 마음을 단련해갔다. 장모님께 전화 한 통 하는 것조차도 힘들어하던 그가 마침내 통화에 성공한다. 또 사람 앞에서 이야기하는 것은 상상할 수도 없던 그가 대중 앞에서 자신의 이야기를 꺼낼 용기를 갖게 된다. 자신이 힘들었던 시간들을 통해 무엇을 느꼈는지, 그리고 아내의 위로가 얼마나 큰 도움이 됐는지 여러 사람 앞에서 고백한다.

"우울증은 정말 괴로운 질환입니다. 제가 그것을 극복한 비결은 '서두르지 않기' '특별대우를 받지 않기' '할 수 있는 일과 할 수 없는 일을 구별하기'입니다. 솔직히 말씀 드려서 저는 그동안 제가 병에 걸렸다는 사실을, 그리고 제 병의 증상을 부끄럽게 생각해왔습니다. 그런데 그 생각을 바꾸어준 사람이 바로 저기 앉아 있는 제 아내입니다. 그녀는 제게 병에 걸린 것은 부끄러운 일도, 아무것도 아니라고 계속 말해줬습니다. 이 병이 저에게 가르쳐준 것이 정말 많습니다. 그중 하나가 사람은 누구라도 어떠한 때라도 자신의 살아 있는 모습을 자랑스럽게 생각해야 한다는 것입니다. 질병으로 고통 받는 사람, 그리고 그를 지탱해주고 있는 주변 사람들도 지금 그 사람들이 살아 있는 모습 그 자체가 매우 자랑스러울 것이라고 생각합니다."

'사람은 누구라도, 어떠한 때라도 자신의 살아 있는 모습을 자랑스럽게 생각해야 한다.'는 미키오의 말이야말로 자존감의 핵심이라고 생각한다. 꼭 무엇이 되어 있어야 자존감이 높아지는 것이 아니라, 모든 화려한 조건이 사라진 순간에도 자기 자신을 가치 있게 여길 수 있는 마음이 진정으로 자신을 사랑하는 마음이다.

미키오는 우울증을 치유하고 자존감을 회복하는 방법으로 세 가지를 제시했다. 먼저 서두를 필요가 없다고 말했다. 사실 서두르면 마음만 초조하고 바쁠 뿐 더 많은 실수가 일어난다. 그 실수를 마주하면서 더 깊은 자괴감에 빠질 수 있다. 그러니 성급하게 서둘러서 벗어나고자 하기보다는, 곧 좋아질 것이라는 믿음으로 여유를 가지는 편이 더 좋겠다.

또, 너무 특별하게 대우받고자 하는 마음을 버리라고 조언했다. '상대방에게 섭섭한 이유는 상대방에게 너무 많은 것을 기대한 내 마음 때문이다.'라는 말이 있다. 마찬가지로 특별대우를 받고자 하는 마음이 있으면 그만큼 대우받지 못했을 때 자존감이 떨어질 수 있다. 그러니 애초에 특별한 기대를 버리는 것이 조금 더 지혜로운 마음관리일 것이다.

마지막으로 할 수 있는 일과 할 수 없는 일을 구분해서 하라고 말했다. 이것은 일의 능률을 위해서도 중요하다. 굳이 욕심을 부려서 자신이 잘할 수 있는 부분의 신뢰까지 깨트릴 필요는 없다. 모든 것을 다 할 수 있는 것처럼 떠맡아서 하기보다는 잘할 수 있는 것을 선별해서 하는 것이 좋겠다.

자존감이 달라져야 말이 달라진다

OECD 국가 중 자살률 1위인 대한민국. 우리나라는 수년째 이 슬픈 타이틀을 버리지 못하고 있다. 자살이라는 극단적인 선택을 하게 된 진짜 이유는 죽은 자만이 알겠지만, 죽음을 선택하게 된 마지막 순간의 감정에는 우울한 감정이 함께했을 것임을 짐작해볼 수 있다. 스스로 생을 마감한 사람들의 대다수가 실제로 극심한 우울증을 앓고 있었다고 한다.

한국자살예방협회와 중앙자살예방센터에서 공개한 자료에 따르면 자살을 마음먹은 사람들은 말과 행동으로 그 마음을 표현하곤 한다. 특히 반복해서 하는 말들이 있는데, 바로 다음과 같은 것들이다.

"더 살아서 뭐하나."
"이만큼 살았으면 됐지."
"살 만큼 살았다"
"부담이 되고 싶지 않다."
"나는 아무 짝에도 쓸모가 없다."

이처럼 자존감이 낮아지면 말에 변화가 온다. 낮은 자존감으로 우울증에 걸린 미키오도 길가에 버려진 쓰레기들을 보며 자신 또한 쓰레기처럼 쓸모없는 존재가 됐다며 깊은 슬픔에 잠긴다. 또 자신은 전혀 쓸모가 없다며 수시로 울부짖기도 한다. 우울증에 걸린 사람들은 근심과 슬픔이 얼굴에 가득하고, 마치 감정을 잃어버린 것처럼 멍한 표정을 자주 보인다. 눈물을 자주 흘리고, 자꾸 혼자 있으려고 하고, 식욕을 느끼지 못하며 옷차림이나 위생에 신경을 쓰지 않는다.

만약 가족이나 지인이 이런 모습을 보인다면 우울증인지 아닌지 빨리 알아차리는 것이 중요하다. 그리고 만약 우울증으로 힘들어하고 있다면 따뜻한 말 한마디가 그 사람에게는 무엇보다 큰 위로가 될 것이라는 것을 기억하자. 절대 가까운 사이랍시고 장난처럼 농담을 한다거나 혹은 훈계하듯 조언하지 않도록 주의해야 한다. 한 번 더 생각하고 말할 수 있기를 바란다. 그런데 안타깝게도, 종종 상대의 자존감을 더 떨어뜨리는 눈치 없는 사람들도 있다. 바로 미키오의 형처럼 말이다.

"하루코 상에게도 고생시켜 면목이 없네요. 이 녀석이 어린 시절부터 작은 일에 신경을 썼어요. 그래서 우울증 따위에 걸려버린 거야. 뭐, 우유든 뭐든 잘 먹어서 하루코 상을 위해서라도 열심히 빨리 치료하지 않으면 안 돼. 남자는 집안의 기둥이야. 아무리 괴로워도 가족을 위해서라도 힘내서 열심히 해야 하는 거야."

심적으로 힘들어하고 있는 사람에게 지적하는 어조나 재촉하는 말투는 그 사람의 마음을 더 불편하게 만들고 만다. 결국 이날 미키오는 이불을 뒤집어쓰고 흐느끼며 말한다.

"뭘 어떻게 힘을 내야 하는 거야. 지금 나한테는 무리인데…. 나는 아무것도 아니라서 형처럼 어떤 것에도 쉽게 힘을 낼 수가 없다고…."

아내인 하루코는 그런 남편을 가만히 지켜봐주며 따뜻한 말로 다독거린다. 우리에게 필요한 것은 바로 하루코 식의 위로 방법이

다. “힘내지 않아도 괜찮아요. 괴롭다면 힘내지 않아도 괜찮아요. 이제까지로도 충분해요.”라는 그녀의 말에는 온기가 느껴진다. 상대의 고통을 공감하고 진심 어린 위로를 건네는 그 따뜻함에 딱딱하게 굳어져버린 마음까지 녹아내리는 듯한 진짜 위로를 받게 되는 것이다.

아무것도 할 수 없고, 아무런 쓸모도 없는 인간이라고 자책하는 미키오에게 하루코는 ‘할 수 없는 게 아니라 하지 않는다.’라고 생각할 수 있도록 힘을 주고, ‘츠레는 대단하다!’라고 늘 칭찬하며 남편의 자존감을 높여주고자 한다. 하루코의 말처럼 ‘금이 가지 않았다는 것, 그것만으로도 가치가 있는 것’이다.

힘들어하고 있는 누군가에게뿐만 아니라 스스로에게도 이렇게 온기가 담긴 위로를 건넬 필요가 있다. 많은 독자가 이 영화를 보면서 ‘사람을 살리는 말’과 ‘사람을 죽이는 말’이 무엇인지 느낄 수 있기를 바란다. 말 한마디가 사람을 구할 수도 있고, 하늘로 보낼 수도 있다.

영화 장면 중, 원고 마감에 집중하느라 한껏 예민해진 하루코가 미키오에게 짜증 섞인 목소리로 대답하는 장면이 있다. 대수롭지 않게 넘길 수도 있는 장면이지만, 마음에 이미 상처가 있는 사람에게는 소금을 뿌리는 것이나 다름없는 말투였다. 미키오는 시무룩해진 모습으로 욕실 욕조에 앉아 혼자 눈물을 흘리다가 자신이 정말 쓸모없는 사람으로 느껴졌는지 자살을 선택한다. 이상한 낌새를 느낀 하루코는 욕실로 달려가고 미키오가 목을 멘 모습을 본 하루코는 진심으로 사과한다. 사소한 말 한마디의 위력이 잘 드러나 있는 장면이다. 무심코 던진 말 한마디가 상대방의 인생을 망칠 수 있다고 생각하면 참으로 끔찍하다. 반대로 나의 말 한마디에 누군가의 인생이 긍정적인 방향으로 돌아설 수 있다면 이 또한 얼마나 기쁜 일인가!

어떤 말을 선택해야 하는지, 어떤 순간을 조심해야 하는지 생각해보는 시간이 되기를 바란다. 그리고 미키오처럼 자존감이 낮아져 마음 고생하는 비슷한 상황의 분들이 미키오의 대사 속에서 위로와 용기를 얻기를 바란다.

"중요한 것은 항상 가까이에 변하지 않고 있는데, 때때로 어디에 있는지 알지 못한다. 자세히 보면 손이 닿는 곳에 있는 것인데, 잃어버렸다고 멋대로 생각한다. 나에게는 당신이 있다. 바로 곁에 당신이 있다. 그것을 오늘 깨달았다. 언젠가 오늘 일을 웃으면서 이야기할 수 있기를 바란다."

따뜻한 말은 그 사람의 온기를 담은 말이다. 그 온기는 곧 마음으로 전해지고 온몸으로 퍼져나간다. 오늘부터라도 가까운 사람에게 따뜻한 말 한마디, 따뜻한 메시지 하나라도 건네보자. 말은 돌고 도는 것이니 오늘 전한 그 따뜻한 말은 돌고 돌아 어느 날 당신에게 도착해 있을 것이다.

말이 나의 품격을 결정합니다

;

〈죽은 시인의 사회〉: 끊임없이 사색할 것

"이제 너희는 생각하는 법을
다시 배우게 될 거다."

유난히 예쁜 말을 잘하는 사람이 있다. 그런 사람과 대화하는 것은 즐거울 수밖에 없다. 말투나 사용하는 단어가 유독 우아한 사람이 있다. 그런 사람은 명품을 걸치지 않았는데도 괜히 고급스러운 이미지로 각인된다. 반면에 멀끔하게 차려 입었어도 비속어나 욕설이 튀어나오는 사람은 어떤가. 교양 없고 저렴한 사람으로 기억될 것이다. 이처럼 말을 보면 그 사람을 알 수 있는 법이다. 세월이 흘러도 여전히 걸작으로 꼽히는 〈죽은 시인의 사회〉를 통해 말의 품격에 대해 알아보자.

말을 보면 품격을 알 수 있다

품격은 어디에서 나오는 것일까? 나는 사람의 말에서 나온다고 믿는다. 품격을 한자로 '品格'이라고 쓰는데, 품위를 뜻하는 '품'자를 보면 '입 구'자가 세 개 모여 만들어진 것을 알 수 있다. 그러니까 품격이란 '입의 격', 즉 '말의 격'을 나타내는 것이다.

그렇다. 말은 곧 그 사람이다. 누군가의 말을 들어보면 그 사람의 생각이 얼마나 깊은지, 마음 밭이 얼마나 넓은지 느낄 수 있다. 언어에는 마음과 생각이 함께 담기기 때문이다. 그래서 거친 생각과 마음을 품고 있는 자의 표현은 거칠고, 따뜻한 생각과 마음을 품고 있는 자의 표현은 다정하다. 언어를 통해 사람의 마음의 그릇과 생각의 크기를 알 수 있는 것이다.

좋은 이미지로 보이기 위해 몇 시간 동안 공들인 헤어와 깔끔하게 차려 입은 의상도 말 한마디 때문에 그 의미를 상실해버리는 경우가 더러 있다. 이미지메이킹의 도움을 받아 근사하게 보이는 것에 성공했다 하더라도 그 사람의 진짜 이미지는 결국 말을 통해 완성된다. 결국 말이 자신의 품격을 결정하는 것이다.

品格 [품 : 격]

생각이 익어야 말도 무르익는다

말의 품격을 높이기 위해서는 무엇을 어떻게 해야 할까? 나는 '관찰'과 '사색'이라는 두 가지 방법을 권하고 싶다. 많이 보고 많이 생각해봐야 한다는 뜻이다. 말이 달라지기 위해서는 생각이 먼저 달라져야 하기 때문이다. 이 두 가지를 통해 자신만의 진품 메시지를 얻을 수 있을 것이다.

물론 책이나 누군가의 말을 통해서도 새로운 관점, 새로운 지식, 새로운 표현 등을 만날 수 있지만 엄밀히 말해 그것은 작가의 것이지 내 것이 아니다. 내 것으로 만들기 위해서는 그들의 관점과 생각을 토대로 나만의 언어를 정리해보는 숙성의 시간이 필요하다. 평소 독서량이 많음에도 불구하고 자신의 메시지에 힘이 느껴지지 않는다면 충분히 생각하며 읽었는지, 책 속의 주제에 대해 깊게 사색해본 적이 있는지 점검하기를 권한다. 말에는 자신의 생각이 담겨야 힘이 생기는 법이다. 그런데 생각이 숙성되는 시간을 거치지 않는다면 아무리 독서를 한다 해도 이를 통한 변화를 기대하기는 어렵다.

독일의 대문호인 괴테도 늘 독서와 산책을 함께했다고 전해진다. 책을 읽고 산책을 하며 사색하는 시간이 얼마나 중요한 시간인지 알고 있었기 때문일 것이다. 나 역시 평소 여러 가지 주제에 대해 관찰하고 생각해 보기를 좋아하는데, 그 끝에서는 항상 나만의 생각으로 정리된 단정한 문장을 만날 수 있었다. 누군가가 남긴 명언도 아마 이러한 과정을 거쳐서 만들어졌을 것이다. 바라보고, 넓고 깊게 생각해보는 과정 없이 어떻게 명언이 탄생할 수 있었겠는가!

생각이 익어야 말도 무르익을 수 있는 법이다. 시간과 정성을 들여 숙성시킨 재료들이 요리의 격을 높여주듯, 시간과 정성을 들여 숙성시킨 생각은 말의 품격을 높이는 가장 귀한 재료가 될 것이다.

지혜로운 말은 시공간을 초월한다

영화 〈죽은 시인의 사회〉는 교육의 목적은 사색하는 것을 가르치는 것에 있어야 함을 이야기하고 있다.

전통과 명예와 규율을 중요하게 여기는 웰튼 아카데미는 대학 입시 위주의 주입식 교육을 강조하는 미국의 명문 고등학교다. 학교는 자신들의 교육법이야말로 수십 년간 인정받아온 최고의 시스템이므로 누구든 똑같은 방식으로 스파르타식 교육을 받아야 한다고 주장한다. 그러다 보니 웰튼 아카데미의 학생들은 그저 최고가 되기 위해, 자신의 꿈보다는 부모의 꿈을 이루기 위해 공부하는 엘리트 학생들이다. 그런 그들이 새로 부임한 영어교사 '존 키팅'을 만나 변화하기 시작한다.

이 영화는 존 키팅 선생을 통해 참된 교육이 무엇인지를 느끼게 해주는 영화다. 자유로운 사색가가 되는 방법이 무엇인지 알려주고자 했던 키팅 선생은 학생들이 기존의 주입식 교육에서 벗어나 다양한 관점에서 생각해보기를 원했다. 영화에 소개된 그의 다양한 수업 방식과 대사들은 관객들로 하여금 많은 생각을 하도록 돕는다.

키팅 선생은 첫 수업에서부터 강한 메시지를 던져 준다. 한 학생에게 시의 첫 구절을 읽게 한 후 이렇게 말한다.

"시간이 있을 때 장미 봉우리를 거두라. 시간은 흘러 오늘 핀 꽃이 내일이면 질 것이다. 이걸 라틴어로 표현하면 카르페 디엠(Carpe Diem)! 현재를 즐기라는 말이다. 현재를 즐겨라. 시간이 있을 때 장미 봉우리를 거두라. 왜 시인이 이런 말을 했을까? 왜냐하면 우리는 언젠가 반드시 죽기 때문이지. 여기 있는 우리 모두는 언젠가는 숨이 멎고, 차가워져서 죽게 된다. 그러니 부디 카르페 디엠! 현재를 즐겨라. 특별한 인생을 살거라."

'카르페 디엠'의 유래를 살펴보면, 고대 로마 제국에서부터 사용되던 말이다. 이토록 오랜 시간 동안 사랑을 받던 명언은 영화 〈죽은 시인의 사회〉에서 널리 알려졌고, 오늘날에도 흔하게 사용되고 있다. 지금도 SNS나 메신저 프로필에 'Carpe Diem'이라는 단어를 써둔 지인을 종종 본다. 시대를 초월해 사람들 마음에 명언으로 자리 잡은 '현재를 즐기라'라는 이 말은 시간이 지나도 누군가의 삶에 울림을 주며 여전히 사랑받고 있다. 지혜가 담긴 말은 시공간을 넘나들며 영원히 존재하는 것이다.

나만의 단단한 언어로 말하라

J. 에반스 프리차드는 시를 완전히 이해하기 위해서는 먼저 운율이나 음조, 비유를 이해해야 한다고 말하며 두 가지 요소를 살펴보기를 제안했다. 하나는 대상의 예술적 표현도이고, 또 하나는 대상의 중요도이다. 첫 번째는 시의 완성도를 측정하기 위함이고, 두 번째는 중요도를 판단하기 위함인데 이 두 가지를 통해 시의 위대함을 판별할 수 있다는 주장인 것이다. 시의 완성도를 가로축에, 중요도를 세로축에 표시해서 나오는 영역이 그 시의 위대함이고, 범위가 넓을수록 위대한 시가 된다는 것. 예를 들어 바이런의 시는 중요도는 높지만 완성도는 겨우 보통을 넘고, 셰익스피어의 14행시는 두 가지 면에서 모두 높다. 그러므로 매우 범위가 넓은 셰익스피어의

시가 실로 위대한 시가 된다는 것이다. 시를 읽을 때는 이 평가 방법을 연습하고, 시를 평가하는 능력이 길러지면 시를 통해 얻는 기쁨과 이해 또한 깊어질 것이라는 에반스 프리차드 박사의 견해다.

그러나 이에 대한 키팅 선생의 의견은 아주 단호하다.

"쓰레기! 이것이 바로 J. 에반스 프리차드에 대한 나의 견해이다. 시는 재는 것이 아니다. 시를 어떻게 아메리칸 TOP 10처럼 평가할 수 있겠나? 찢어라! 이건 전투요, 전쟁이다. 여기서 지면 마음과 영혼이 다친다. 우수한 학생들한테 시를 측정하게 만들다니 안 되지. 이제 너희는 생각하는 법을 다시 배우게 될 거다. 말과 언어의 진정한 맛을 배우게 될 거야. 누가 뭐라 하든 말과 언어는 세상을 바꿔놓을 수 있다.

피츠 군은 19세기 문학과 의대에 가는 것과는 아무 상관이 없다고 여기는군. 그렇지? 홉킨스 군, 혹시 자네도 같은 생각인가? 그래, 프리차드 박사의 말대로 음조와 운율을 배워서 다른 야망을 달성하는 일을 하면 된다고 생각하지만 비밀을 하나 얘기해주지. 가까이 모여라. 이리 가까이 모여.

시가 아름답기 때문에 읽고 쓰는 것이 아니다. 인류의 일원이기에 시를 읽고 쓰는 것이다. 인류는 열정으로 가득 차 있어. 의학, 법률, 경제, 기술 따위는 삶을 유지하는 데 필요해. 하지만 시와 미, 낭만, 사랑은 삶의 목적인 거야."

키팅 선생은 시를 분석하거나 평가해 수치화하는 것이 아니라, 그저 감각 기관을 통해 느끼는 것임을 가르치고자 했던 것이다. 또한 아무리 저명한 박사라 할지라도 작가의 관점과 견해를 그대로 따르지 말고, 자신의 관점에서도 생각해볼 수 있어야 함을 가르치고 있다.

이렇게 스스로 직접 생각해보는 능력을 키워야 할 말도 생기고, 그 말에 자신감도 생길 수 있다. 긴가민가하고 아리송한 이론이나 남의 생각을 그저 앵무새처럼 말하는 것이 아닌, 자신의 생각으로 뭉쳐지고 정리된 단단한 문장을 말할 때, 비로소 말에는 힘이 생긴다. 그리고 그때 당신은 말의 품격 또한 높아졌음을 느낄 수 있을 것이다.

다양한 관점으로 생각을 키워라

관점을 바꿔 생각하는 것이 중요함을 학생들에게 직접 알리기 위해 키팅 선생이 직접 책상 위에 올라가는 장면이 있다.

"내가 왜 책상 위에 서 있는지 아는 사람? 내가 이 위에 선 이유는 사물을 다른 각도에서 보려는 거야. 이 위에서 보면 세상이 무척 다르게 보이지. 믿기지 않는다면 너희들도 한번 해봐. 어서, 어서! 어떤 사실을 안다고 생각할 땐 그것을 다른 시각에서 봐라. 틀리고 바보 같은 일일지라도 시도를 해봐야 해. 책을 읽을 때 저자의 생각만 고려하지 말고 너희들의 생각도 고려해보도록 해. 너희들이 목소리를 찾을 수 있도록 투쟁해야 해. 늦게 시작할수록 찾기가 더 힘들 것이다.

소로우는 '대부분의 사람들이 절망적으로 산다'고 했다. 그렇게 물러나지 마라. 그냥 그렇게 가장자리만 빙빙 돌지 말고 주위를 둘러봐라. 과감하게 부딪혀 새로운 세계를 찾아라."

키팅 선생처럼 의도적으로 시선에 변화를 줘서 생각해보게 하는 훈련은 생각의 물꼬를 트이게 하는 아주 좋은 방법이다. 당장 당신 주변에 있는 무언가를 손에 들고 옆면, 앞면, 뒷면, 윗면, 바닥면을 확인해보라. 머그잔도 좋고, 필통이어도 좋고, 책이어도 좋다. 바라보는 방향에 따라 그 모양이 다 달라짐을 확인할 수 있을 것이다.

사람은 자신이 바라보는 방향에서 보이는 것만이 사실이라고 믿곤 한다. 그래서 한 가지 관점에서만 바라보게 되면 한쪽으로 치우친 의견을 가질 수밖에 없다. 그리고 그것이 모든 것이라고 여기기 때문에 부분을 보고도 전체라고 인식하게 된다.

그러나 어떻게 부분이 전체가 될 수 있겠는가! 그래서 스스로 경계하고 의심해보는 노력이 필요하다. 무엇인가 잘 안다고 생각될 때 다른 시각에서도 바라보는 연습을 해보자. 여러 각도에서 바라보며 생각할 수 있을 때 입체적이고 종합적인 사고가 가능할 것이다. 살면서 한 번도 생각해보지 못했던 새로운 아이디어가 떠오를 수도 있고, 이해하고 포용할 수 있는 범위 또한 더 넓혀질 것이다.

최근 사유와 사색을 강조하는 좋은 책들이 서점에 많이 있다. 생각을 키우는 연습을 하고 싶으나 그것이 무엇인지 감을 잡지 못하고 있었다면, 좋은 책들과 함께 영화 〈죽은 시인의 사회〉를 보며 감각을 키워볼 것을 권한다.

내 안의 나에게 주목합니다

;

<인사이드 아웃> : 감정을 관리할 것

"우리 머릿속에서 무슨 일이 일어나고 있는지
생각해본 적 있으세요?"

평소에 쾌활한 사람이라도 어떤 날에는 침울한 표정으로 침묵할 때가 있다. 평소 굉장히 부드럽게 말하는 사람이 스트레스를 받는 상황에서는 날카로운 말을 내뱉기도 한다. 이처럼 우리의 감정에 따라서 우리가 사용하는 말도 달라지는 법이다.

영화 〈인사이드 아웃〉은 사람의 머릿속에 존재하는 다섯 가지 감정을 소개한다. 감정의 변화에 따라 사람의 기분이 달라지고 사용하는 언어가 달라진다는 것을 잘 보여준다. 이 영화를 통해 마인드 컨트롤의 중요성을 배워보자.

과거의 감정 사용설명서는 잊어라

'살면서 남자가 눈물을 흘려야 하는 순간은 딱 세 번'이라는 말을 한 번쯤은 들어봤을 것이다. 남자는 아무리 슬퍼도 씩씩하고 꿋꿋하게 참아내야 한다는 의미가 내포되어 있다. 유독 남자아이들은 슬픈 감정 표현에 대해 통제를 당하며 자란다. 사내아이가 눈물을 보이기라도 하면 그 아이의 울음을 빨리 그치게 하기 위해 "뚝! 남자가 이런 걸로 우는 거 아니야."라고 말하며 달래는 경우가 많다. 뿐만 아니라 아이가 벌레를 보고 깜짝 놀라거나 무서워할 때에도 "사내 녀석이 이런 걸 무서워해? 씩씩하게 딱 잡을 수 있어야지!"라고 말한다. 어쩌다 기분이 상하는 일이 생겨 삐치기라도 하면 소심하다며 계집애 같다는 놀림을 들어야 한다.

대신에 남자들이 화를 내는 부분에 있어서는 여자에게보다 관대하다. 서로 몸싸움을 해도 "남자들끼리 주먹다짐도 하면서 크는 거지…." 혹은 "잘했어, 맞는 것보다 한 대 때리는 게 더 나아."라는 말로 시작하는 것에서 그 관대함을 엿볼 수 있다. 욱하고 화를 내는 것도 '남자답다' '카리스마 있다'라는 식으로 포장되기도 한다.

반면에 여성은 눈물을 흘리면 청순하고 보호본능을 일으킨다고 한다. 벌레를 보고 무섭다고 말하면 귀엽게 여긴다. 그러나 여자가 수줍어하거나 쑥스러워하지 않고 그저 좋은 걸 좋다고 말하면 어쩐지 조신하지 못하다는 말을 듣고, 싫은 걸 싫다고 당당하게 말하거나 화가 난다고 해서 목소리를 높이며 싸우기라도 하면 엄청 드센 여자로 낙인찍히기도 한다. "여자가 말이야, 고분고분한 맛이 있어야지."라는 말도 사회생활을 하면서 한 번쯤은 들어봤을 것이다.

이처럼 어릴 때부터 우리에게는 썩 마음에 들지 않는 이상한 감정 사용설명서가 있었다. 그래서일까? 자신의 감정대로 자유롭게 표현해본 적이 없는 대다수의 한국 성인 남녀들은 감정 표현에 참으로 어려움을 많이 느낀다. 자신의 기분을 드러내는 것이 민폐라는 생각이 들고, 그래서 꾹꾹 눌러 참다가 결국 폭발하기에 이른다. 일단 폭발해버리면 내 몸과 마음의 건강을 해치기도 하고 상대방을 향한 날카로운 비수가 되기도 하기에 오히려 더 큰 민폐를 끼치는 셈이다.

다양한 감정이야말로 사람만이 누리는 특권임에도 불구하고, 자신의 감정을 어떻게 표현해야 할지 몰라 스피치 학원을 찾는 분도 참 많다. 내가 느낀 바를 그대로 드러내면 그만인데, 그걸 하지 못해 돈을 내고 학원에까지 가는 것이다.

감정을 솔직하게 드러내지 않는 것이 미덕인 시대는 이제 끝났다. 이는 앞서 말한 자존감과도 연결된다. 내 마음을 들여다보고 적당히 표현할 줄 알아야 나의 감정을 다스릴 수 있다. 공동체나 상대방에 대한 예의를 잃지 않는 선에서 나의 감정과 기분을 잘 드러낼

줄 아는 사람이 오히려 지혜롭다.

혹시 당신에게도 이런 고민이 있는가? 그렇다면 과거의 이상한 감정 사용설명서를 모두 잊어버리는 것부터 다시 시작해보자.

부정적인 감정에도 긍정의 역할이 있다

우리는 사회에 나와 살아가면서 감정을 억누르고 무조건 참는 것은 오히려 좋지 않다는 것을 이제야 다시 새롭게 배워가고 있다. 그런 면에서 이 영화는 무척 새롭다. 부정적 감정에도 긍정적 역할이 있음을 나타낸다. 기쁘고 행복한 것은 좋은 감정이고, 슬프고 까칠하고 소심하고 화나는 감정들은 나쁜 감정으로 분류하는 게 익

숙한 우리에게 감정은 좋고 나쁨의 문제가 아님을 이야기해준다. 그러니까 슬픔, 소심, 까칠, 분노와 같은 부정적인 느낌의 감정들이 불필요하거나 버려야 하는 감정이 아니라 각각 그 쓰임이 다른 것이라는 새로운 시각을 보여주는 셈이다.

기쁨이, 슬픔이, 까칠이, 소심이, 버럭이는 주인공인 라일리의 머리에 살고 있는 다섯 가지 감정들이다. 그 감정들은 라일리의 머릿속에서 감정 계기판을 조정하며 라일리의 기분 상태를 관리한다. 주인공 라일리의 감정을 주로 리드하는 것은 기쁨이다. 기쁨이는 라일리 머릿속 감정들을 이렇게 소개한다.

"처음엔 라일리와 저 둘뿐이던 라일리의 머릿속 본부에는 식구가 늘어났죠. 쟤는 소심이랍니다. 소심이는 라일리를 안전하게 보호해주죠. 잰 까칠이에요. 까칠이는 맛없는 음식이나 나쁜 친구에게서 라일리를 지켜줘요. 쟤는 버럭이에요. 버럭이는 라일리에게 공정하지 않은 상황을 보면 못 참죠. 그리고 슬픔이는 아시죠? 잰 뭐랄까…

(슬픔이 때문에 떼쓰고 울음을 터트리는 라일리의 모습이 보인다.)

음… 하는 일이 뭔지 잘 모르겠어요. 사실 특별히 하는 것도 없고요. 그래도 슬픔이까지 좋다고 해야 모두가 좋은 거겠죠. 하여튼 이건 라일리의 기억들인데, 제 자랑 같지만 대부분 행복한 기억들이에요."

이처럼 처음에는 기쁨이도 슬픔이를 조금은 성가시고 불필요한 존재로 여긴다. 오직 기쁨이만이 라일리를 행복하게 만들 수 있다고 믿고 있기 때문이다. 감정 계기판에 슬픔이의 손이 닿으면 라일리의 표정이 어두워지고 이내 울음을 터트리게 되니 어떻게든 감정 계기판으로부터 슬픔이를 떼어 놓으려고 애쓴다. 이런 기쁨이의 모습은 마치 슬프고 우울한 감정은 나쁜 감정이라고 생각해서 무조건 멀리하고 억누르려고 하는 우리의 모습을 보여주는 것 같기도 하다.

그러나 영화는 진정한 행복은 슬픔과 기쁨이 공존할 때 느낄 수 있음을 말해주기 위해 기쁨이와 슬픔이가 항상 함께하도록 설정해 놓는다. 기쁨이의 머리카락 색깔을 슬픔을 상징하는 파란색으로 표현해 놓은 것도 같은 이유일 것이다.

시간이 지날수록 슬픔이에게도 중요한 역할이 있음이 드러난다. 사람을 기분 좋게 만드는 기쁨의 감정만으로 아픈 마음을 위로할 수 있는 게 아니라는 것을, 차라리 실컷 울고 나면 속이 후련해지면서 치유되고 다시 행복해질 수 있다는 것을 보여주는 것이다. 부정적인 감정으로만 생각해 왔던 슬픔이 또한 큰 역할을 하고 있음을 말해주는 대목이다.

자신의 감정을 알아차리고 관리하라

우리가 하는 말과 행동은 감정과 연관이 깊다. 기분이 좋을 때, 슬플 때, 예민해서 까칠할 때, 소심해졌을 때, 분노가 치밀어 오를 때 등등 감정이 변할 때마다 우리의 말과 행동에는 변화가 생긴다. 그리고 이런 감정들이 사람과 사람 사이 커뮤니케이션에 크고 작은 문제를 일으키기도 한다.

너무 기분이 좋은 나머지 지키지도 못할 이런 저런 약속을 남발해 훗날 신뢰를 잃는 사람이 있는가 하면, 너무 우울감이 지나쳐 주변 사람들의 기분마저 다운되게 만드는 사람, 너무 소심한 태도를 보여서 답답함을 느끼거나 같이 일하고 싶지 않은 사람, 너무 까칠해서 대화하고 나면 기분이 나빠지고 다시는 말을 붙이고 싶지 않은 사람, 가슴에 화가 너무 많아 사소한 일에도 쉽게 흥분하고 고함을 질러대는 사람 등 하나의 감정에만 지나치게 치우쳐 그 감정을 있는 그대로 표현하는 사람과는 지속적인 관계를 이어나가기 어렵다. 상대방이 받을 상처는 생각하지 않고 자신의 기분대로 아무렇게나 말하는 사람이 앞에 있다고 생각해보자. 상상만으로도 이미 괴로워지지 않는가!

그런데 이런 '아무 말 대잔치'의 주인공이 꼭 남이 되라는 법은 없다. 우리도 기분이 상하면 톡 쏘는 무례한 말을 할 수도 있으니까. 그래서 자신의 감정을 체크하고 관리하는 것은 아주 중요하다. 일반 대화에서도, 대중 스피치에서도 마찬가지다. 감정이 한쪽으로 치우쳐 있는 순간을 예민하게 알아채고, 어떻게 해야 다시 균형을 잡을 수 있는지 판단할 수 있어야 한다.

감정 코칭 전문가 함규정 박사는 감정을 관리하는 능력의 출발은 자신의 감정을 먼저 읽는 것이라고 조언한다. 감정을 다스리는 것은 그다음 일이라는 것. 그녀가 추천하는 두 가지 감정 읽는 방법을 소개한다.

첫째, 최근 일주일간 자신의 감정 상태를 단어 몇 가지로 표현해 종이에 적어보자. 단, 제한 시간은 1분이다. 만약 1분 동안 본인이 적은 단어의 개수가 세 개 이하라면 스스로의 감정을 잘 읽지 못하는 편이라고 한다. 긍정의 감정이든 부정의 감정이든 그것을 정확히 읽을 줄 알아야 하고, 그 감정을 불러일으킨 원인도 파악할 수 있어야 한다. 만약 아무런 이유 없이 우울하다면 당신의 상태가 위험할 수도 있다는 뜻이다.

둘째, 감정 체크판을 이용하는 것이다. 현재 자신의 감정을 다음의 표에 따라 체크한 후 부정적인 감정이 발견되면 현명하게 관리해보자. 감정 상태는 신체 에너지의 높고 낮음과 기분의 좋고 나쁨으로 알아볼 수 있다. 신체 에너지 점수를 10점 만점으로 봤을 때 자신의 현재 몸 상태는 몇 점인지, 기분이 가장 좋은 상태를 10점

만점으로 봤을 때 현재의 기분은 몇 점인지 체크해보자. 그리고 자신의 점수가 어느 영역에 들어가는지 확인해보면 된다.

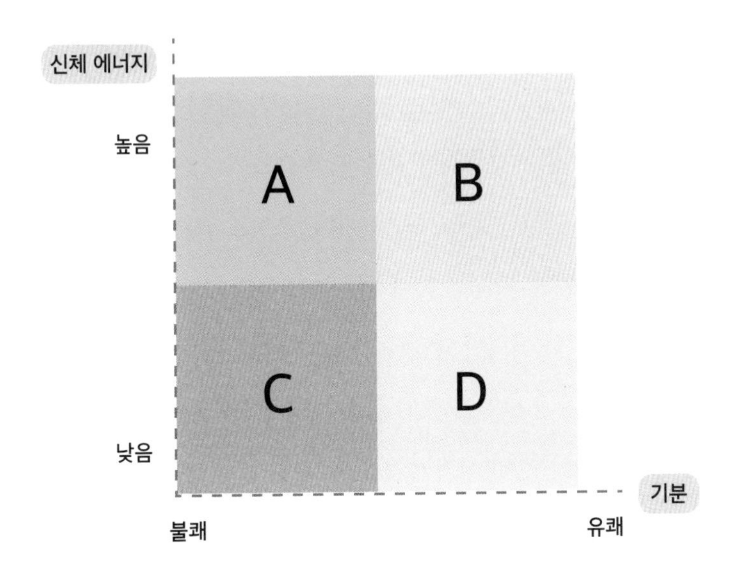

예를 들어 기분은 딱히 나쁘지 않지만, 몸 컨디션이 조금 떨어지는 경우라면 D 영역이다. 이 상태는 적당한 만족감과 안정감을 느끼고 있는 차분한 상태이다. 이럴 때는 신체 에너지를 높여 밸런스를 맞추는 것이 좋다. 제대로 된 밥상으로 신체 에너지를 높여준다면 감정이 유쾌함 방향으로 이동하는 것을 느낄 수 있을 것이다.

자신이 A 영역에 해당된다면 스트레스를 받고 있는 상황이다. 긴장, 불안, 두려움, 분노, 화, 짜증 등의 감정이 해당되는 영역이다. 기분은 불쾌한데 몸은 흥분 상태인 것이다. 이럴 경우 스트레스를 빨리 해소하려는 노력이 필요하다. 그렇지 않으면 몸에 치명적인 영향을 미쳐서 신체 증상으로 나타나기 때문이다. 충분한 수분을 섭취하고 스트레칭을 하며 흥분된 몸을 이완시키자.

기분도 좋지 않고 신체 에너지도 떨어진 느낌이 든다면 C 영역이다. 이 영역은 우울함을 느끼는 곳이다. 슬프고, 좌절되고, 우울한 감정들이 해당된다. 이때는 에너지를 높여주고, 기분 전환을 시켜줘야 한다. 그러나 체력이 달린다고 느끼기 때문에 몸을 움직이기도 귀찮고, 집 앞에 나가는 것도 싫은 상태일 것이다. 하지만 이대로 놓아두면 병이 될 수 있기 때문에 좋아하는 친구를 만나 맛있는 것을 먹으러 가는 등 나만의 방식으로 신체 에너지를 올리며 기분 전환을 할 필요가 있다.

B 영역은 신체 에너지도 높고 기분도 좋은 상태로 즐거움, 의기양양, 감동이 느껴지는 영역이다. 다른 영역에 있다면 바로 이 B 영역으로 옮겨 오는 것이 이상적인 감정 관리 방향이라고 할 수 있다. 만약 지금 B에 속해 있다면 다른 영역으로 옮겨 가지 않도록 감정을 잘 관리하고 유지해야 한다.

예를 들어, 나를 기분 나쁘게 하는 것들은 응하지 않는 것이다.

만약 특정인과의 통화나 대화가 매번 안 좋은 느낌을 줬다면 그 사람과 연락을 줄여가는 관리가 필요하다. 이렇게 한쪽으로 치우친 감정을 미리 점검하고 관리해 놓으면 감정이 쌓이고 쌓여 별것 아닌 일에 감정이 폭발해버리는 일을 줄일 수 있을 것이다.

감정이 요동칠 때는 침묵이 답이다

그러나 감정 관리가 어디 그렇게 쉽기만 하겠는가. 우리의 주인공도 마찬가지다. 영화에서 라일리가 전학 온 후 친구들에게 자기소개를 하는 장면이 있다. 즐거운 표정으로 이사 오기 전 추억을 이야기하던 라일리는 갑자기 표정이 어두워지더니 어느새 두 눈에 눈물이 고이고 만다. 그간 눌러왔던 감정들이 엉뚱한 순간에 터진 것이다.

이런 경험을 해 본 사람이 적지 않을 것이라 생각된다. 실제로 스피치 실습을 하는 도중 본인조차 원인을 알 수 없는 눈물에 당황해하는 분들이 꽤 있었다. 눈물은 스피치의 주제와 맞아떨어질 때는 감동이 두 배가 되기도 하지만, 엉뚱한 상황에서 눈물이 통제되지 않으면 모두가 당황하게 된다. 누구보다 당황스러운 사람은 아마 본인 자신일 것이다. 결국 하고 싶은 이야기는 시작도 못하고 제자

리로 돌아오게 된다.

사실 통제되지 않는 것은 눈물뿐만이 아니다. 별것도 아닌 작은 일로 한껏 짜증을 부려놓고 돌아서서 후회하는 일도 종종 있다. 이럴 만한 일이 아닌 것 같은데 너무 흥분해서 과장된 언행을 한 적도 있을 것이다. '대체 내가 왜 그랬지?'하고 잠자리에서 이불을 발로 뻥뻥 차본 적이 있는가. 만약 그렇다면 평상시 자신의 감정을 잘 관리하고 있는지 체크해보길 바란다.

이렇게 감정이 요동치고 있을 때는 침묵이 답이다. 이런 상황에서 하는 말에는 실수가 많기 때문이다. 그리고 그 말의 대가는 스스로 치러야 한다. 말의 품격을 높이기 위해서 평소 자신의 감정을 잘 살펴보도록 하자. 그러나 이미 감정 관리에 실패해 감정이 요동치고 있다면, 그래서 말의 품격을 지켜낼 수 없다면, 차라리 침묵하라. 상대에게 전하고자 했던 말은 감정이 가라앉은 후에 말해도 늦지 않으니 말이다.

굳이
화를 내지 않아도
표현할 수
있습니다
;

<실버라이닝 플레이북> : 분노를 다스릴 것

"화가 나면 조용한 곳으로 가서
어떻게든 화를 가라앉혀요."

영화 〈실버라이닝 플레이북〉은 러브멘탈에 대해 이야기하는 작품이지만, 등장하는 인물을 살펴보면 다른 것도 배울 수 있다. 분노를 다스리지 못하고 있는 그대로 말하고 행동했을 때 어떤 참사가 벌어질 수 있는지를 너무나 잘 표현하고 있기 때문이다. 오늘날 점차 감정을 제대로 다스리지 못하는 현대인의 모습이 투명하게 비친다. 그러나 화가 난다고 해서 마음껏 화를 내버리면 오히려 상황이 악화될 뿐, 효과적으로 나의 마음이나 의견을 전달하기 어렵다. 〈실버라이닝 플레이북〉을 통해 분노를 다스리고자 노력하는 주인공의 모습을 살펴보고 지혜롭게 대처하는 방법을 배워보자.

대한민국이 뿔났다

쇼핑백을 들고 지하철을 탄 적이 있다. 그런데 좌석에 앉으면서 오른손에 걸려 있던 쇼핑백이 오른편에 앉아 있던 여성의 무릎을 스쳤나보다. '스쳤나보다'라고 표현한 이유는 쇼핑백이 그녀에게 닿았다는 것을 내가 전혀 인지하지 못했기 때문이다. 그녀가 자신의 무릎을 몇 번이고 세차게 탁탁 쓸어내리는 모습을 보고 나서야 내 쇼핑백이 그녀에게 닿았음을 눈치 챌 수 있었다. 그리고 알아차린 순간 얼른 죄송하다고 인사를 건넸다.

그런데 거기서 끝이 아니었다. 목적지에 도착해 자리에서 막 일어나는데 또다시 옆에서 거친 한숨과 짜증 섞인 욕설이 들려왔다. 순간, 가방이 또 닿은건가? 싶어서 얼른 고개를 돌려 죄송하다고 말하려던 찰나, 그녀는 내 구두 굽을 자기 발로 차버리고는 마치 아무 일도 하지 않았다는 듯 딴청을 피우는 게 아닌가. '이렇게까지 할 일인가?' 싶었지만 나는 다행히 그녀보다 마음의 여유가 있던 날이라 특별한 의미를 부여하지 않고 다시 한 번 사과를 건넨 후 웃으며 내릴 수 있었다.

사실 내가 겪은 일은 아주 사소한 사건에 불과하다. 미디어를 통해 지하철 안에서의 막말, 폭행 논란을 자주 마주한다. 어르신이 젊은이에게, 젊은이가 어르신에게, 어르신이 더 나이 드신 어르신에게… 어디 지하철뿐만이겠는가. 길거리에서도 '묻지 마' 폭행에 이어 살인이 벌어진다. 술자리에서도 충동을 참지 못하고 폭력을 행사한다. 소극적인 방식으로는 전화 상담원에게 언어 폭력을, 익명성이 보장된 인터넷 공간에 댓글 폭력을 남발한다. 말 못하는 동물과 저항할 힘이 없는 어린아이, 장애를 가진 사람을 공격한다. 가정에서도 학교에서도 직장에서도 이러한 양상이 점점 더 증가하고 있다. 분노를 표출할 대상을 정하는 데 있어 이제 성별이나 나이는 아무런 의미가 없는 듯하다. 동방예의지국이라는 말도 그야말로 옛날이야기일 뿐이다. 마치 대한민국 전체가 뿔이 난 것 같다.

가끔 사람들은 기분이 좋지 않은 날 "오늘 누구 한 명 걸리기만 해. 내가 가만 안 둔다."라며 우스갯소리를 하곤 한다. 그런데 요즘에는 이것이 우스갯소리에 머무르지 않는다는 사실이 문제다. 정말 '누구 한 명 걸리기만 해 봐'라는 심정으로 엉뚱한 곳에 분노를 표출하고 있는 것이다. 그러나 화를 내는 것은 아주 짧은 순간이지만, 이로 인해 자신의 인생을 망치는 것은 물론 타인의 인생 또한 망칠 수 있음을 우리 모두는 기억해야 한다.

평상시 분노의 농도를 낮춰라

영화 〈실버라이닝 플레이북〉의 남자 주인공 팻은 분노를 다스리지 못해 많은 것을 잃은 사람이다. 아내의 외도를 목격한 순간 주체할 수 없는 분노로 이성을 잃고, 아내의 내연남에게 무자비한 폭력을 휘두르고 만다. 그 때문에 법원으로부터 아내에게 접근하지 말라는 명령을 받고, 8개월간 정신 병원에서 치료를 받아야만 했다. 한순간의 분노 때문에 직장도 잃고 가정도 잃은 팻은 완치를 향한 의지를 드러냈지만, 여전히 화가 나는 순간을 다스리지는 못한다.

모두가 잠든 새벽 4시, 읽고 있던 책 내용이 마음에 들지 않는다며 부모님에게 소리를 지르는가 하면, 자신의 결혼식 비디오가 사라졌다고 난리를 피우며 온 동네 사람들을 깨우는 소동을 벌이기도 한다. 또 병원에서 자신이 싫어하는 음악이 나오자 당장 음악을 끄라고 소란을 피우는 등 여전히 분노 조절에 어려움을 겪는다.

여주인공 티파니 또한 남편의 죽음 이후 감정 조절에 어려움을 겪는 인물이다. 팻과의 데이트 도중 팻의 말이 거슬린다는 이유로 테이블에 있는 모든 물건을 바닥에 내동댕이치는 등 과격하게 분노를 표출한다.

왜 그들의 분노는 이토록 극단적인 방식으로 표현이 되는 것일까? 팻은 자신이 분노를 다스릴 수 없었던 이유를 이렇게 설명한다.

"극심한 스트레스로 심한 감정 기복과 망상에 시달렸고, 그게 샤워 사건으로 폭발한 거죠. 문제가 있는데도 치료를 받지 않고 혼자만 끙끙대면서 살아왔으니 언제 어디서 터질지 모르는 시한폭탄이나 다름없었어요."

그렇다. 분노가 폭발하는 순간은 사실 그동안 차곡차곡 쌓인 감정들이 마지막 한 방울의 부정적인 감정을 만났을 때 벌어지는 경우가 훨씬 더 많다. 그래서 자신의 체내 분노의 농도를 낮추고 싶다면 평소 스트레스 관리에 관심을 기울여야 한다.

많은 사람이 화가 날 때 화를 내지 않고 대화할 수 있는 비법이 무엇인지 궁금해한다. 그동안 그들이 선택했던 방법은 일단 참는 것이었다. 나만 참으면 평화로울 수 있으니 일단 참고 보자는 것이다. 그러나 억울함을 억누르고 분노를 삼키는 것이 어디 쉬운 일인가! 참는 것이 미덕이라고 여겼던 대한민국은 그 결과 화병에 걸렸다. 그래서인지 미국 정신과학회에서는 화병을 이렇게 소개한다.

[Hwa-byung] 분노의 억압에서 기인하는 것으로 한국인에게만 나타나는 특이한 현상

이 얼마나 씁쓸한 기록인가! 실제로 감정 표현에 있어 조금 더 자유로운 외국인들에게는 화병이 없다고 하니, 감정 표현과 화병이 깊은 연관이 있음을 알 수 있다.

자신의 의견을 상대방에게 제대로 표현하지 못하는 것은 큰 스트레스이다. 얼마 전까지 공직생활을 하던 나의 지인은 직속 상사 때문에 퇴사를 결심했다. 매번 무시하는 말투와 눈빛을 견디기가 너무 힘들었다고 한다. 그렇다고 자신에게 대체 왜 그러느냐고 감히 묻지도 따지지도 못하다 보니 화병이 생긴 것이다. 건강 체질이라고 자부했었던 그녀는 알 수 없는 두통과 복통에 시달렸고, 자신의 행복을 되찾기 위해 상사에게 사직서를 건넸다. 그렇게 퇴사를 한 이후에도 원인 모를 고열에 두 달간을 시달리다 급기야 병원에

2주간 입원하는 일까지 겪은 뒤에야 그녀는 간신히 건강을 되찾았다. 우리의 감정과 몸은 하나로 연결돼 있다. 그래서 감정이 다치면 몸도 자연스럽게 아픈 것이다.

화를 표출하는 유형은 크게 두 가지로 나뉜다. 이렇게 끙끙 앓아가며 감정을 꾹꾹 눌러 놓는 억제형이 있는가 하면, 할 소리 못할 소리 구분 없이 다 해버리는 표출형도 있다. 억제형은 아마 표출형을 부러워할 것이다. 그러나 무조건 표출형이 좋은 것은 아니다. 여기에도 문제점은 있다.

첫째, 화가 화를 불러온다. 자신이 자신의 화를 이기지 못해 쓰러지는 경우도 생기니 너무 잦은 화도 건강에 해롭기는 마찬가지다.

둘째, 화가 났을 때 하는 말은 흥분된 상태에서 하는 말이기에 실수가 많다. 이로 인해 자신의 품격 또한 여과 없이 드러날 수 있음을 알아야 한다.

화내는 순간 자신의 품격이 드러난다

청담동에서 개인숍을 운영하는 지인이 있었다. 고품격, 럭셔리의 상징인 청담동 CEO답게 그녀는 우아한 헤어스타일과 반짝반짝 빛나는 비즈 달린 옷들로 스타일링하기를 좋아했다. 지금으로부터 무려 10년 전 청담동에 이미 건물까지 세웠으니 업계에서 그녀는 꽤 성공한 여성 CEO로 알려져 있었다. 건물의 외관과 내부를 채운 인테리어와 소품들 그리고 방문하는 사람들마저도 모든 것이 '청담스러움'으로 한껏 채워진 그 공간은 격조 높은 평화의 공간처럼 보이기도 했다. 그러나 그 평화로움과 품격을 와장창 깨뜨려버리는 소리가 있었으니, 바로 그녀가 화내는 순간에 찾아오는 '분노의 목소리'였다. 그녀는 평상시에는 우아한 말씨로 이야기를 하다가도, 조금만 흥분된 상태가 되거나 화가 나면 말끝에 날이 바짝 서곤 했다.

어느 날인가 거래처에서 전화가 걸려온 듯했다. 대화의 흐름을 보아하니, 송금을 빨리 해주지 않아서 문제가 생긴 모양이다. 처음에는 곧 입금을 하겠노라고 살살 달래는 말투였다. 그러나 상대방도 벌써 몇 달째 밀려 있음을 강조하며 몇 차례 옥신각신하는 말들이 오고 갔다. 그러다가 어느 순간, 뻥튀기가 '펑' 하고 터지듯 아주 큰 고함과 함께 우리나라의 욕설이 얼마나 다채롭게 발달돼 있는지 다시금 실감할 수 있는 상황이 벌어졌다.

'아… 그녀의 우아함과 품격은 뻐꾸기 둥지 위로 날아가버린 것인가….'

품격 있는 성공한 여성 CEO는 온데간데없이 증발돼버리고 전혀 다른 인격체와 마주하고 있는 느낌이었다.

목소리 큰 사람이 이긴다는 말을 신념으로 삼은 것처럼 이렇게 소리부터 질러놓고 보는 사람들이 있다. 자신이 이만큼 화가 났으니 조심하라는 위협 내지 경고일지 모르겠으나 제 3자의 입장에서 보면 그저 미성숙한 상태에 머물러 있는 사람으로 보일 뿐이다. 그래서 이런 유형을 만나게 되면 왠지 모를 부끄러움이 엄습해온다.

잠시 뉴스의 한 장면을 떠올려 보자. 평소 품위를 지키고자 노력해온 국회의원이라 할지라도 의원들끼리 서로 삿대질을 하며 소리를 지르는 모습을 보고 나면 우리는 그들이 부끄럽게 여겨진다. 그들에게 어떠한 성숙함도 느낄 수가 없기 때문이다. 운전을 하다가 창문을 내리고 소리를 지르는 사람, 서비스 종사자의 작은 실수에 붉으락푸르락 하며 있는 힘껏 화를 내는 사람을 보면 '저 사람은 왜 저럴까?' 하는 의문이 올라온다. 그 사람이 함께 동행한 지인일 경우에는 사람 자체를 다시 보게 되는 계기가 되기도 한다.

기억하자. 목소리 큰 사람이 이기는 것이 결코 아님을. 성질을 버럭 내며 격한 말을 했다고 해서 이기는 것도 아님을. 자신의 품격을 바닥에 떨어트려놓고 이기는 것이 대체 무슨 의미가 있겠는가! 그저 자신의 미성숙한 인격을 증명하는 시간일 뿐이다. 그런 모습에서는 절대 품격이 느껴지지 않는다. 자신의 분노를 지혜롭게 잘 처리해내는 성숙함. 이것이 자신의 품격을 결정짓는다.

화내지 않고도 감정을 표현하는 기술

좋은 남자를 고르는 방법이라며 어른들이 귀띔해주는 비법이 몇 개 있다. '남자는 운전할 때를 봐야 한다.' '남자는 술을 먹여봐야 한다.' '남자는 싸울 때를 봐야 한다.' 각각 다른 듯하나 요는 하나다. 화내는 순간의 모습을 관찰하라는 것이다.

기분이 좋을 때 잘하는 거야 누구나 어렵지 않게 할 수 있다. 문제는 화가 나는 순간이다. 자신 안에 가득 찬 뜨거운 분노를 어떻게 표현하고 어떻게 식히느냐가 관건이다. 앞서 말했듯 이것이 자신의 품격을 결정짓는 평판으로 이어지기 때문이다.

홧김에 실언하고 실수해버리는 경우가 살면서 얼마나 많은가! 화를 무조건 소리나 행동으로 즉시 뱉어내버려야만 속이 후련해지고 숨통이 트일 것 같아서 일단 감정대로 저지르고 보는 경우들이 해당될 것이다.

반면 화나는 감정을 회피하는 유형들도 있다. 기가 차고 어처구니가 없기는 마찬가지이지만, 말문이 막히는 바람에 아무 말도 못하고 그냥 돌아서본 경험이 있는가? 그런 경우 꼭 집에 돌아오는 순간, 불현듯 적당한 문장이 생각나곤 한다. 조금 전 바로 그 순간, 그 작자에게, 그 한 방의 말을 못하고 온 것이 내내 분통해 잠 못 들고 씩씩거리게 된다. 이런 일을 반복적으로 경험하는 사람은 말싸움의 기술이라도 배워야 하는 것인가 깊은 고민에 빠지게 된다. 그리고 실제로 이런 고민 때문에 내게 개인 레슨을 수 개월간 받으신 분도 있다.

화는 내도 손해, 안 내도 손해라고들 말한다. 화를 너무 내면 폭력적으로 변할 수 있으니 문제가 되고, 화를 너무 참은 결과 얻는 것은 화병뿐이니 이 또한 좋지 않다. 그렇다면 대체 어떻게 해야 할까. 우리는 불쾌하거나 불편한 일을 화내지 않고도 표현할 수 있어야 한다.

화내지 않고 감정을 표현하는 이 평화의 기술을 연마하기 위해 우리는 무엇부터 해야 할까? 가장 먼저 해야 하는 것은 나의 감정을 알아차리는 것이다. 그리고 그 감정을 증폭시키지 않는 것이다. 화의 불씨가 활활 타오르도록 계속해서 연료를 공급해주면 안 된다. 그때부터는 불길을 잡기가 더 어려워진다. 상대에게 화내려다가 본인이 화를 이기지 못하는 상황이 벌어지고 말 것이다.

여기에서 연료가 되는 무엇일까? 바로 생각과 말이다. 생각을 곱씹고 되뇌며 표현하다 보면 처음의 감정보다 더 왜곡되고 부풀려

지기 마련이다. 그래서 멈추는 연습을 해봐야 한다. 생각을 멈추고 보는 것을 멈추고 듣는 것을 일시 정지해둬야 한다.

사람에 따라 화가 나는 타이밍은 조금씩 차이가 있다. 그러니 멈추는 순간은 화가 올라오는 것이 느껴지는 순간이면 적합할 것이다. 생각을 멈추기 위해서는 클래식 음악이나 잔잔한 명상 음악, 자연의 소리가 녹음된 소리 등이 도움이 된다. 보는 것을 멈추기 위해서는 눈을 잠시 감고 심호흡을 하는 것이 필요하고, 듣는 것을 멈추기 위해서는 잠시 후 다시 이야기하자고 상대에게 말하는 편이 훨씬 더 낫다는 것이다.

잠시 시간을 얻었다면 나무나 꽃 등 식물이 있는 곳이나, 물이 있는 곳으로 가면 조금 더 쉽게 마음이 가라앉는 것을 느낄 수 있다. 자연이 인간에게 주는 위대한 혜택 중 하나가 정화 능력이기 때문이다. 공기가 답답할 때 창문을 열어서 환기하는 것만으로도 큰 도움이 되는 것처럼 물과 식물의 정화 능력은 경이로운 수준이다. 그러니 만약 가슴 깊은 곳에서부터 부정적인 감정이 올라오는 느낌이 든다면 자연을 가까이 해보자. 자연은 당신을 실망시키지 않을 것이다.

자연을 가까이 할 수 없을 때는 식물의 에너지를 담고 있는 천연 아로마를 이용해 향기를 맡는 것도 좋다. 예민해진 신경을 안정시켜주기도 하고 향에 따라 상쾌한 기분이 들기도 한다. 또 열을 식게

도와주는 녹차를 마시거나 신맛, 쓴맛이 나는 음식을 먹는 것도 도움이 될 것이다. 팻의 담당의사의 말처럼, 화가 나면 조용한 곳으로 가서 어떻게 해서든 화를 가라앉혀 보자.

상대의 감정을 자극하지 마라

마음이 조금 가라앉았는가? 그렇다면 다시 대화를 시작하자. 화내지 않고 대화하기 위해서는 상대 탓으로 돌리는 표현, 감정을 건드리는 단어를 사용하지 않아야 한다. 내 마음을 아무리 다스린다 해도 상대방이 다시 감정을 건드리면 순간 '욱' 하고 화가 치밀어 올라오기 마련이다. 평화로운 대화를 원한다면 상대의 감정도 자극하지 않는 것이 좋다.

당신 앞에 있는 누군가가 지금 당신의 귀에 상당히 거슬리는 말투로 이야기를 하고 있다고 가정해보자. 당신은 점점 기분이 나빠지고 있는 상황이다. 이 상황에 어떻게 반응해야 할까 고민하던 당신은 참다 참다 너무 화가 난 나머지 "말씀을 왜 그딴 식으로 하시죠?"라고 날카롭게 질문을 던졌다. 그 말을 뱉어내는 순간 '내가 그딴 식이라는 강렬한 단어까지 던졌으니 상대방도 움찔하겠지? 이제 함부로 말하지 못할 거야.'라는 기대가 있을지도 모르겠다.

그러나 그다음 상대의 반응은 무엇일까? 우리의 기대처럼 "아, 죄송합니다. 조심하겠습니다."일까? 그렇지 않을 것이다. 아마도 대부분 "뭐요? 그딴 식?"이라고 반응할 확률이 훨씬 더 높다. 상대방이 먼저 당신의 기분을 망쳤다 할지라도 지금부터는 당신이 선택한 단어 '그딴 식'에 모든 초점이 맞춰지는 것이다.

"너는 항상 왜 그래?"라고 말한다면 어떨까. 이런 말은 보통 친밀한 관계에서 하게 된다. 부모 자식 간에, 형제자매 간에, 아주 친한 친구나 애인과의 말다툼 중에 불만을 표현하기 위해 자주 등장하는 말이다. 그다음 반응은 무엇이겠는가. "그래 내가 좀 항상 그랬지. 미안하다."라는 답변을 기대하는가? 아마 현실은 조금 달랐을 것이다.

"내가 왜? 내가 뭘 또 항상 그래. 내가 언제 항상 그랬어? 너는 안 그랬어?"

대화의 포인트가 어느새 과연 '항상 그러했는가'로 옮겨져버린 것이다. 이런 식으로 유치찬란한 단어들만 핑퐁으로 오갔던 경험들이 있을 것이다. 우리는 가까울수록 상대방의 감정을 쉽게 건드려버린다. 타인을 대하듯 크게 조심하거나 배려하거나 하지 않는다. 그래서일까? 가족, 연인, 친구 사이의 말다툼일수록 더할 나위

없이 유치한 대화로 전락하고 만다.

혹시 이와 반대의 상황이 온다면 어떻게 하는 것이 좋을까. 상대방이 나를 자극하는 순간도 분명히 있다. 상대방이 나를 공격한다고 느껴지는 순간에는 관점을 바꾸는 것이 도움이 된다. 상대방은 지금 나를 공격하는 것이 아니라 나의 감정 훈련을 위해 어디선가 갑자기 나타난 연기자라고 상상하는 것이다. 이렇게 생각을 전환할 수 있다면 갑자기 상대방이 측은하게 보일 것이다. 상대방이 억지 논리를 펴며 나를 힘들게 하는 순간, 도무지 이해할 수 없는 의견으로 내 마음을 어지럽게 하더라도 그 감정에 같이 동요되지 말고 그가 연기 중이라고 생각해보자. 이렇게 했을 때 상황과 자신을 분리시킬 수 있다. 그러면 그와 당신 사이에 두꺼운 유리 벽 같은 보호벽이 생기는 것을 느낄 수 있을 것이다. 서로 격앙된 채 주고받는 많은 부정적인 단어들로부터 자신을 격리시키고 상처받지 않도록 도와줄 것이다.

상대방의 사과를 이끌어내는 I-메시지

상대에게 불만을 이야기하려고 할 때 우리는 습관적으로 'you-메시지'로 시작하게 된다. "너는 왜 매번 늦어?" "너는 왜 약속을 안 지켜?" "당신은 왜 미리 연락을 안 해줘?" "당신은 왜 양말을 벗어서 뒤집어 놓는 거야?" "당신 때문에 이렇게 된 거야." 등 상대방을 주어로 놓고 불평불만을 던지는 것을 'you-메시지'라고 한다.

이러한 대화법은 아무런 도움이 되지 않는다. 상대방은 지적 혹은 공격의 느낌을 받게 된다. 그러니 상대방이 잘못한 것이 사실이어도, 당신의 지적이 틀린 것이 아니라 할지라도 감정적 싸움으로 변질되는 것이다. 누구든 지적당하는 순간에는 기분이 나빠지기 때문이다.

그래서 제안한다. 앞으로는 'I-메시지'로 시작해보자. '당신 때문에' '너 때문에'가 아니라 '나는'으로 시작해보는 것이다. '내 마음이 불편해서 그래.' '나는 우리의 약속이 잘 지켜지면 좋겠어.'와 같은 문장으로 시작하면 상대방의 듣는 태도에 변화가 생긴다.

앞의 상황으로 다시 예를 들어보겠다. 당신이 앞에 있는 사람 때문에 화가 나 있는 상태다. 그래서 현재 기분을 조금이라도 표현하기 위해 말 속에 은근히 감정을 녹여내서 자극적인 표현을 했다. 당신의 말이 상대방 귀에 상당히 거슬릴 것임을 알고 있지만, 상대방이 먼저 당신의 기분을 망친 것이니 이 정도쯤은 정당한 리액션이라 생각하는 입장이다. 그런데 듣기만 하던 상대방이 입을 열었다.

A 그쪽은 말씀을 왜 그딴 식으로 하시죠?

상대방에게 미안한 마음이 드는가? 아마 아닐 것이다. 내가 말을 험하게 한 것은 사실이지만 그것과 상관없이 분노가 치솟는다. 그렇다면 다음의 문장은 어떠한가?

B 제가 듣기에 말씀이 조금 불편하게 들리네요. 조금만 배려해서 말씀해주시면 감사하겠습니다.

두 개의 말 중 어느 쪽이 더 듣기에 좋은지 생각해보자. '흠, 내가 조금 지나쳤나?' 하고 생각해보게 되는 말은 아마 B일 것이다. 상대에게 사과를 이끌어내는 말이 바로 B의 말이다. A의 말에는 도통 사과하고 싶지가 않다. 내가 먼저 원인 제공을 했다고 하더라도 말이다. 이처럼 정말로 이기고 싶다면, 상대방에게 사과를 받고 싶다면, 사과할 여지나 명분을 만들어주는 것이 좋다. 작정하고 싸우기 위한 게 아니라면, 내 생각을 화내지 않고도 잘 전달하고 싶다면, 상대의 감정도 건드리지 않는 대화 방식을 택해야 한다.

B처럼 이야기하면 '당신은 지금 뭔가 잘못하고 있어요. 주의해주세요.'라는 메시지를 더 강하게 전달할 수 있다. 상대방이 의도를 가지고 일부러 언짢게 했다고 하더라도 조금은 미안한 감정이 들 것이고, 그런 의도가 없었다면 그럴 의도가 없었음을 설명하고 사과할 것이다. 불필요한 오해 또한 줄일 수 있게 되는 것이다.

분노를 잠재우는 골든타임, 15초

마지막 팁은 '15초'에 달렸다. 화나는 순간 바로 말하지 말고 15초만 잘 견뎌보자. 이 시간이 분노를 잠재우는 골든타임이다. 화가 나면 뇌신경이 흥분하고 스트레스 호르몬이 흘러나온다. 심장은 더 두근거리고 호흡도 가빠지는 느낌을 받게 된다.

그런데 시간이 지나면 이 반응들에 변화가 온다. 보통 분노 관련 호르몬은 15초에 피크로 올랐다가 2분 후 가라앉고 15분 후면 정상화 된다고 한다. 화가 치밀어 오르는 매 순간마다 잠시 자리를 피하는 것이 어려운 상황일 때는 이 골든타임을 활용해보길 바란다.

그저 가만히 15초를 보내는 것보다는, 가슴으로 깊게 숨을 들이마셨다가 "하~" 소리를 내며 숨을 뱉어보면 더 도움이 된다. 숨이 잘 쉬어지지 않는다면 양팔을 벌리면서 숨을 들이마시거나, 양 팔을 앞으로 내밀고 손바닥을 아래로 한 후 어깨를 돌리면서 숨을 들이마시고 내뱉어보자. 이렇게 한 숨 돌리고 나면 화도 가라앉고 답답한 마음도 많이 사라지는 것을 느낄 수 있다.

분노의 골든타임 15초를 참지 못하고 화가 나는 순간마다 즉시 화를 내다 보면, 신경계통이 남들과 다르게 변해서 사소한 자극에도 교감신경계가 강한 흥분반응을 보인다고 한다. 결국 화내는 것도 습관이라는 말이 의학적으로도 맞는 말인 것이다.

그러니 15초 골든타임을 놓치지 말고 평상시에 훈련해보기를 권한다. 분노의 감정과 분노의 행동을 분리시킬 수 있을 것이다. 조금 더 차분한 어조로 말할 수도 있고 이성적인 관점에서 문제를 다시 바라볼 수도 있게 될 것이다.

내 앞에 있는
사람에게
집중합니다

;

〈her〉 : 귀 기울여 경청할 것

“정말 친근하게 느껴져.
이렇게 얘기할 때면 정말 곁에 있는 것 같아….”

영화 〈her(그녀)〉는 운영체제와 사랑에 빠지는 남자의 이야기를 그리고 있다. 볼 수도 없고 만질 수도 없지만 둘은 깊은 정서적 유대감을 형성하며 서로에게 깊게 빠져든다. 이 영화를 통해 단순한 관계가 사랑하는 사이로 발전하는 과정에서도 대화가 얼마나 중요한지 깨달을 수 있다.

그런데 그것이 어디 사랑하는 사이에서뿐일까! 내 앞에 있는 누군가의 마음을 사로잡기 위해서는 과연 어떤 대화의 자세가 필요할지 이번 장에서 알아보도록 하자.

귀 기울여 듣고, 있는 그대로 이해하는 것이야말로 커뮤니케이션의 전부가 아닐까. 소통이 잘 안 되는 대부분의 이유가 경청, 공감, 이해 능력 부족에 있기 때문이다. 상대가 잘 들어주지 않을 때, 공감해주지 않고 자기주장만 할 때, 있는 그대로 듣지 않고 왜곡해서 이해할 때, 내 입장에 대한 이해가 없을 때 그다지 대화하고 싶다는 생각이 들지 않는다. 만약 대화를 시작했다 해도 곧 입을 다물고 싶어질 것이다. 상대방에게 존중받고 있다는 느낌이 들지 않기 때문이다. 실제로 경청, 공감, 이해 이 세 가지 능력이 떨어지는 사람과 깊이 있는 대화를 나눈다거나 좋은 관계를 유지한다는 것은 참으로 어려운 일이다.

〈her(그녀)〉는 남녀 간의 사랑에 있어서도 대화가 얼마나 중요한지 보여주는 영화다. 인간과 운영체제와의 사랑이라는 조금은 황당한 주제로 시작하지만, 영화를 감상하다 보면 충분히 가능할 수도 있겠다는 생각이 들 만큼 두 주인공이 대화하는 모습은 인상적이다.

영화 속 운영체제 'OS 1'은 단순한 프로그램이 아니다. 스스로 생각하고 느끼고 진화하는 하나의 인격체나 다름없는 모습으로 묘사된다. 딱딱한 컴퓨터 목소리를 내지도 않고, 사람의 감정을 알아차리고, 사람처럼 느끼고 생각하며 말한다. 굳이 사람과 비교하자면 몸이 없을 뿐이다. 스스로의 이름을 '사만다'라고 짓는 순간, 이미 그 인격이 형성되었을지도 모른다. 운영체제라는 것을 모르고 영화를 본다면 아마 일반 여성과 남성이 전화통화를 하며 사랑을 키워나가는 것으로 보일 정도로 대화는 막힘이 없고 자연스럽다.

남자주인공 테오도르는 사만다에게 업무적인 도움을 받기도 하고 소소한 일상도 공유한다. 만날 수도 없고 만질 수도 없는 존재이지만, 어느새 그들은 서로 마음을 나누는 연인 사이로까지 발전한다. 둘 사이가 발전되는 과정에는 가벼운 눈 맞춤이나 스킨십도 없었다. 오직 대화만이 있을 뿐이었다. 대체 어떤 대화를 주고받은 것인지 그들의 대화를 본격적으로 탐구해보도록 하자. 아카데미 각

본상을 수상한 작품답게 각본의 구성뿐 아니라 의미 있는 대사들이 꽤 많이 있다. 이 영화를 보면서 1:1 대화에서 필요한 커뮤니케이션 기법까지 익힐 수 있기를 바란다.

대화의 90%는 경청에 달려 있다

먼저 사만다의 커뮤니케이션 기법부터 살펴보자. 테오도르의 마음을 사로잡고, 남성 관객들의 마음을 사로잡은 사만다에게는 어떤 특별함이 있는 것일까?

그녀는 언제든 경청할 준비가 되어 있다. 잠을 잘 필요도, 먹을 필요도 없는 운영체제이기에 사만다는 언제나 이야기를 들어줄 수 있다. 하루 24시간 아무 때나 통화할 수 있는 존재가 있다는 것만으로도 현대인의 외로움은 절반으로 줄어들 것이다. 24시간 내내 통화를 하는 게 중요하다기보다는 그런 존재가 있다는 사실 자체가 더 큰 위안이 되는 것이다. 그런데 이보다 더 큰 매력은, 사만다가 결코 허투루 듣지 않는다는 것이다. 그녀는 심지어 경청까지 한다.

1:1 커뮤니케이션 상황에서 가장 중요하게 강조하는 것은 경청이다. 대화의 90%가 경청에 달려 있다고 할 만큼, 잘 듣는 것은 아주 중요하다. 문제는 듣는 방법인데 어떻게 듣는 것이 경청인지 모

르는 사람이 의외로 많다. 상대방과 아이컨택을 하고 있어도 머릿속으로 다른 생각을 하고 있다면 이것은 경청이라 할 수 없다. 자신이 경청하고 있는지 그렇지 않은지는 생각보다 쉽게 들통 나기 마련이다. 스스로는 잘 듣고 있다고 생각할지 모르지만, 자신도 모르게 하는 언행들이 자신의 태도를 보여주기 때문이다.

대화 도중 "아까 몇 시라고 하셨죠?" 혹은 "날짜가 언제라고요?" "네? 방금 뭐라고 하셨어요?"라고 다시 되물어본 적이 있는가? 이런 질문들은 대화에 집중하지 않았음을 보여주는 증거다. 대화 도중 이런 질문을 했다면 스스로 빨리 알아차리기 바란다. 경청하지 않고 있다는 신호를 상대방에게 보낸 것이니 말이다.

이 질문이 몇 차례 더 반복되면 상대방은 당신과의 대화가 더 이상 유쾌하지 않을 것이다. 누구든 했던 말을 다시 반복하는 것을 좋아하지 않기 때문이다. 자신의 이야기에 귀 기울이지 않는 사람에게 어떻게 호감을 가질 수 있겠는가!

사실 잘 듣는다는 게 생각처럼 쉬운 일은 아니다. 듣는 게 쉬운 것이었다면 국어 시험에 굳이 듣기 평가가 들어갈 필요도 없었을 것이다. 잘 듣고 잘 이해하는 것도 능력이다. 그래서 듣는 것에도 훈련이 필요하고, 더 나은 커뮤니케이션 환경을 위해 누구나 연습해야 하는 것이다.

상대에게 경청하고 있음을 알리는 4가지 방법

상대에게 잘 듣고 있음을 알리고 싶다면 아래의 4가지 방법을 꼭 기억하기를 바란다.

1) 휴대전화를 만지지 말 것

대화 도중 휴대전화를 자주 보는 행동은 상대방에게 불쾌감을 주거나 오해를 일으킬 수 있다. 심지어 '당신의 이야기가 지루합니다.'라는 의도를 전하기 위해 일부러 휴대전화를 보는 경우도 있다고 한다. 그러니 이러한 의도를 가지고 있는 것이 아니라면, 상대방에게 '당신 이야기에 집중하고 있습니다.'라는 인상을 주기 위해 해야 하는 첫 번째 행동은 휴대전화를 손에서 놓는 것이다.

대화 도중 전화를 받는 것도 마찬가지다. 만약 급하게 연락 올 곳이 있다면 대화 전에 미리 양해를 구하는 게 좋다. 양해를 구하는 그 모습에서 이미 존중받는 느낌을 받기 때문에 상대방은 당신이 통화를 한다고 해도 너그럽게 이해할 수 있을 것이다. 어쩜 속으로 '아, 정말 바쁜 분이시구나! 일을 정말 잘하시는 것 같아.' 하는 신뢰가 싹틀지도 모를 일이다. 스마트폰을 이용해 메모를 해야 한다면 상대방이 오해하지 않도록 미리 말을 하도록 하자. 불필요한 오해를 줄여나가는 것이야말로 좋은 커뮤니케이션 방법이다.

2) 시선을 마주칠 것

상대방의 혈관에서 사랑의 호르몬인 페닐아틸레논을 분비시키는 가장 쉬운 방법이 무엇일까? 바로 '눈 맞춤'이다. 그래서일까, 대화할 때 상대방의 눈을 바라보는 것이 너무 어색하고 부담스럽다는 사람이 종종 있다. 그래서 눈을 자꾸 피하게 된다는 것이다. 그러나 시선을 피하는 것 또한 오해를 부르는 행동이다. 눈동자를 바라보는 것이 부담스럽게 느껴진다면 상대방의 미간이나 인중을 바라보자. 상대방에게는 자신을 바라보는 것처럼 보일 것이다.

커뮤니케이션에 있어 시선은 곧 관심을 뜻한다. 시선을 피한다는 것은 관심이 없거나 호의적이지 않다는 무언의 메시지나 다름없다. 그러니 반드시 시선을 신경 써야만 한다. 그렇다고 지나쳐서도 안 된다. 뚫어져라 바라보느라 상대방이 불편함을 느낀다면 좋은 매너가 아니다. 좋은 매너의 목표는 상대방을 편안하게 해주는 것에 있다.

나는 대화 중에 상대방이 시선을 다른 곳에 두면 하던 말을 멈춘다. 이런 상황은 비즈니스 상황에서는 거의 일어나지 않지만, 가족이나 친구 같은 가까운 사이에서는 자주 발생한다. 특히 엄마와의 대화. 세상 모든 어머니들께서는 대화를 하면서도 다른 무언가를 동시에 할 수 있는 멀티 플레이 능력을 지니고 계신다. 그래서 자신이 할 일이 있어도 배려하는 차원에서 "응, 말해도 돼, 듣고 있어."

라고 안심까지 시켜주신다. 그러나 그 상태에서 대화를 계속 이어나가는 것은 서로에게 좋지 않기 때문에 나는 나중에 이야기 하겠다며 마무리를 한다. 시선은 상대방의 대화 내용에 대한 관심이며, 들을 준비가 되었다는 메시지라는 것을 잘 알기 때문에 더 그렇다.

3) 〈1, 2, 3 법칙〉을 연습하라

대화의 〈1, 2, 3 법칙〉이란 1번 말하고, 2번 듣고, 3번 리액션 하는 것을 뜻한다. 말하기보다는 주로 들으라는 것이고, 그냥 듣는 것이 아니라 반응하면서 들으라는 것이다. 가장 쉬운 리액션은 고개를 끄덕이면서 듣는 것이다. 물론 지나치게 형식적이나 기계적인 동작이 나오지 않도록 주의한다.

좋은 리액션 중 하나는 상대방의 표정을 그대로 따라 하는 것이다. 대화에 집중하고 있음을 보여주는 자연스러운 방법이다. 사실 대화에 집중했을 때 상대방이 웃으면 같이 환한 표정을 짓게 되고, 상대방이 얼굴을 찡그리면 함께 심각한 표정을 짓게 된다. 의도하지 않아도 상대방의 이야기를 집중해서 듣다 보면 표정과 리액션은 자연스럽게 나오게 된다.

4) 중요한 자리라면 메모를 하라

중요한 미팅에서는 반드시 메모를 하는 것이 좋다. 설령 메모할 내용이 없다 하더라도 메모할 준비를 하며 듣는 것과 그냥 듣는 것은 상대방에게 전혀 다른 느낌을 준다. 친한 친구와 대화할 때는 메모하며 들을 필요가 전혀 없음에도 새로운 모임 날짜를 정하거나 중요한 날을 말해줬을 때 다이어리에 메모를 한다면 '이 친구가 나와의 만남을 중요하게 여기는구나!' 하는 마음이 생긴다. 메모를 하려는 모습은 상대방 이야기에 귀 기울이겠다는 다짐을 보이는 것과도 같기 때문이다.

이 4가지 방법을 잘 활용한다면, 상대방은 당신을 자신의 이야기에 귀 기울여준 고마운 사람으로 기억할 것이다.

공감으로 충분하다

운영체제임에도 불구하고 사만다의 듣는 자세는 매우 훌륭하다. 테오도르의 이야기를 들을 때 사만다는 '어쩜 좋니, 힘들겠다.'라는 말로 위로와 동시에 자신도 테오도르의 감정에 공감하고 있음을 표현한다.

대화에서 공감 능력이 얼마나 중요한지는 굳이 설명하지 않아도 모두가 알고 있을 것이다. 특히 연애, 부부 상담을 해보면 여성과 남성의 입장이 정말 다름을 많이 느낀다. 한 여성분은 자신의 이야기에 아무런 대꾸도 하지 않는 남편 때문에 늘 마음이 상한다고 했다. 그리고 그런 마음이 쌓여서 이제는 아예 아무런 말도 안 하는 사이가 됐다고 하소연을 했다. 반면 남편은 아내의 말에 뭐라고 반응을 해야 할지 몰라서 아무 말도 못할 때가 많다는 것이다. 본인이 생각했을 때는 '그냥 혼자 하는 말 같은데 거기에 대고 뭐라고 대꾸를 하느냐'는 것이다.

전혀 공감을 못하고 있는 부부였다. 이런 부부에게 명쾌한 해답 같은 마법의 다섯 단어를 알려 준 분이 있다. 바로 좋은 연애연구소 김지윤 소장이다. 강의를 듣고 이분은 어쩌면 소통 천재일지도 모른다는 생각을 했었다. 김지윤 소장이 공개한 '남성이 여성과 대화할 때 반드시 알아야 할 마법의 다섯 단어'는 바로 이것이다.

"진짜?"

"정말?"

"웬일이야?"

"헐!"

"대박!"

이 다섯 단어만 있다면 어떤 여성과의 대화든지 간에 무사히 마칠 수 있다는 것이다. 예로 들어준 상황은 이렇다. 여자와 남자가 데이트를 하기로 했다. 여자가 도착해서 얼굴을 보자마자 남자에게 말한다.

"오빠, 나 오는 길에 신도림역에서 영숙이 만났잖아."

이 말을 들은 남자는 깊은 고민에 빠진다. 여자친구가 이 말을 나한테 도대체 왜 하는 것일까. 그래서 대부분은 이렇게 묻는다.

남자　아하, 그래서 같이 밥 먹었니?
여자　아니.
남자　그럼 같이 차 마셨니?
여자　아니.
남자　… (그럼 이 이야기를 도대체 나한테 왜…?)

영숙이는 누구이며, 신도림역에서 영숙이를 만나서 특별한 것을 한 것도 아닌데 왜 그 이야기를 자신에게 하는 것인지 남자친구는 도무지 머릿속이 정리가 되지 않는다. 그러나 여성 동지들은 이미 알다시피, 우리는 그냥 말하는 일상들이 많지 않은가! 이야기를 그저 공유하는 것에 의미를 둔다. 그런데 그 이야기를 왜 하느냐고 물어오면 내 감성에 주파수를 못 맞추고 있는 남친이 답답하게 느껴질 수밖에!

이럴 때 남성들이 저 마법의 다섯 단어를 사용하면, 대화는 알아서 자연스럽게 흘러간다. 그리고 한 번씩 상대방의 뒷말을 따라서 해주면 좋다. 그럼 이번에는 마법의 다섯 단어로 대화를 나눠보자.

여자 오빠, 나 오다가 신도림역에서 영숙이 만났잖아.

남자 진짜? 신도림역에서 영숙이 만났어?

여자 응, 진짜 신기하지?

남자 대박! 진짜 신기하다.

어떤가. 그저 마법의 단어를 하나 앞에 두고, 여친이 한 이야기를 앵무새처럼 반복했을 뿐인데 대화가 술술 흘러간다. 여자는 남친이 자신의 이야기에 귀를 기울여주고 있다는 느낌을 받을 수밖에 없다.

이는 연인 사이뿐만이 아니라 공감이 필요한 누구와의 소통에서도 유용하게 접목시켜 볼 수 있다. 회사 동료와 수다를 떨 때나 거래처 직원과 식사를 할 때, 불만이 있는 고객과의 대화나 가족끼리의 대화에서도 마찬가지다. 공감은 서로의 마음을 열어주고 깊이 있는 대화로 이끌어주는 열쇠이기 때문이다.

특히 누군가를 위로해야 하는 경우 마법의 단어와 더불어 훈련하면 좋은 것은 '거울 기법'이다. 상대방의 표정과 말을 마치 거울이라고 생각하고 그대로 따라하는 것이다. 속상하다고 말하는 친구에게 "많이 속상했겠다."라는 말을 건네고, 힘든 일을 털어놓는 사람에게는 "정말 힘드셨겠어요."라고 위로하면 큰 힘이 될 것이다.

공감이 뭐 별 건가, 그저 '당신이 느끼는 것을 나도 느끼고 있습니다.'를 전달하면 되는 것이다.

다음으로 넘기는 것도 지혜다

종교, 성 차별 문제, 정치 등 유독 예민한 주제의 대화가 있다. 혹은 무난한 주제인데도 컨디션이나 기분에 따라 대화가 자꾸 어긋날 때가 있다. 가끔은 내 신경이 온통 다른 곳에 쏠려 있는 바람에 이 상황에 집중하지 못하느라 대화가 끊어지는 경우도 생긴다. 이처럼 서로 대화가 잘 되지 않고 힘들 때는 다음으로 넘기는 것도 좋은 방법이다. 기분이 언짢아진 채로 계속해서 대화를 하다 보면 싸움이 벌어질 수도 있기 때문이다. 그냥 "나중에 다시 이야기하자."라는 말로 적당히 상황을 정리할 줄도 알아야 한다. 영화 속 사만다처럼 말이다.

사만다　며칠 전 캐서린 만나러 갈 때 나 기분이 안 좋았어. 그분은 몸도 있고 우린 다르다는 생각에 힘들었어. … 그런데 당신, 정신이 딴 데 있는 것 같은데 나중에 얘기할까?

테오도르　응. 그게 좋겠다. 그럼 나중에 봐.

물론 이렇게 대화를 미룬 사람은 시간이 흐른 뒤에 반드시 먼저 이야기를 꺼내줘야 한다. 그래야 당신의 말을 상대방도 신뢰할 수 있다.

또한 상대방이 다음에 이야기하자고 할 때는 "아니, 지금 당장 말해!"라고 압박해선 안 된다. 생각보다 많은 연인이 이런 실수를 저지르곤 하는데, 이것은 일종의 기 싸움 같은 것이다. 그 끝은 결코 좋지 않다. 격양된 상태에서는 서로 격하고 자극적인 대화가 오갈 수밖에 없고, 때로는 그 과정에서 생각지도 못한 상처를 받기도 한다. 그러니 다음에 이야기하자는 상대의 말을 존중해줄 필요가 있다.

목소리로 사로잡아라

보이스 트레이닝, 즉 목소리에도 훈련이 필요하다. 사만다를 연기한 스칼렛 요한슨은 목소리 출연만으로 여우주연상을 수상했다. 그야말로 목소리가 백만대군의 역할을 한 영화다.

이 영화를 본 후 관객들의 반응은 크게 두 가지로 갈렸는데 하나는 어떻게 컴퓨터와 사랑에 빠질 수 있느냐는 것이었고, 또 다른 하나는 가능할 것 같다는 의견이었다. 컴퓨터 운영체제일지라도 사랑에 빠지는 것이 충분히 가능하다고 주장하는 가장 큰 이유는 스칼렛 요한슨의 목소리 때문이었다. 스칼렛 요한슨의 목소리라면 얼마든지 사랑에 빠질 수 있다는 것이다.

커뮤니케이션 이론 중 메라비언 법칙(The Law of Mehrabian)이라는 것이 있다. 이미지나 커뮤니케이션 강의에서 빼놓지 않고 등장하는 이론인데, 상대방에 대한 이미지가 형성될 때 시각이 55%, 청각이 38%, 언어가 7%로 청각과 시각이 말의 내용보다 더 중요하게 영향을 끼친다는 내용이다. 이 이론은 UCLA 심리학과 명예교수 앨버트 메라비언이 발표한 것으로 짧은 시간에 좋은 이미지를 전달해야 하는 직종에서 많이 활용하고 있다.

여기서 청각에 해당되는 것은 목소리 톤, 음색, 빠르기처럼 목소리에서 느껴지는 모든 부분을 말한다. 상냥하고 다정하고 따뜻한 목소리를 내는 사람에게는 대부분 좋은 감정을 가지게 된다는 뜻이다. 사람은 생각보다 소리에 예민하다. 누군가의 목소리가 너무 거슬려서 통화하고 싶지 않다는 사람, 라디오를 통해 들리는 목소리가 너무 좋아서 듣기만 해도 떨린다는 사람 등 호감과 비호감을 가르는 데 목소리의 영향을 받는 사람들이 꽤 있다.

따라서 자신의 이미지를 결정하는 데 목소리도 크게 영향을 끼친다는 사실을 꼭 기억하길 바란다. 그렇다면 좋은 이미지를 만들기 위해 목소리를 어떻게 내야 할까? 다음의 몇 가지 팁을 기억하면 된다.

1) 말을 하기 전 복식호흡으로 호흡을 정리할 것

숨 가쁘게 말하면 쫓기고 다급한 느낌이 들기 쉽다. 먼저 깊은 숨을 들이마시고 내쉬며 호흡을 차분하게 정리한다. 코로 숨을 깊게 들이마신 뒤, 긴 호흡으로 말이 부드럽게 이어지도록 한다.

2) 미소를 살짝 머금고 대화할 것

같은 문장도 미소를 머금고 말할 때와 무표정으로 말할 때 음색이 달라짐을 느낄 수 있을 것이다. 평소 자신이 무뚝뚝하다는 평을 받거나 목소리가 메마른 느낌이 있다면, 입가에 미소를 머금고 말하는 것을 습관화하자.

3) 입천장을 살짝 들어 올려 입안에 공간을 만들 것

하품을 할 때처럼 입천장을 살짝 들어 올리면 입안에 동굴 같은 공간이 생긴다. 동굴에서 말을 하면 메아리가 생기듯, 이 공간에서 울림이 만들어진다. 그러면 조금 더 부드럽고 고급스러운 목소리로 말할 수 있게 된다.

4) 말의 끝소리를 짧게 자르듯이 말하지 말 것

"~합니다."와 같이 문장의 마지막 부분을 말할 때 짧게 툭 끊으며 끝내면 경직되고 무뚝뚝한 느낌, 때로는 화가 난 느낌이 들기도 한다. 게다가 높은 톤으로 짧게 끊어 소리 낼 경우, 쌀쌀맞은 느낌이나 따지는 듯한 느낌마저 들 수 있으니 주의하도록 하자. 특히, "~하지 않습니까?"와 같이 자칫 공격으로 오해받기 쉬운 질문을 하거나 반론을 제기할 때 말의 끝소리는 조금 길게 연출하는 것이 좋다. 조심스럽게 말을 꺼내고 있다는 느낌을 전달할 수 있기 때문이다.

5) 말의 속도가 빨라지지 않도록 유의할 것

아무리 좋은 내용이어도 상대의 귀에 들리지 않으면 아무 의미가 없다. 마음이 급하다고 지나치게 빠르게 말하면 자신이 말하고자 하는 것을 제대로 전달할 수도 없고, 상대방에 대한 배려가 없는 사람처럼 보일 수도 있다. 자신의 입장만 중요하다고 고집을 부리며 주장하는 사람들을 살펴보면 주로 말이 빠르고 언성이 높은 것을 알 수 있다.

6) 강조법을 활용할 것

모든 문장을 같은 속도, 같은 톤으로 말한다면 감정이 없는 것처럼 느껴지고 지루해진다. 감정의 흐름, 단어의 중요도, 말할 내용의 느낌을 고려해 아래의 5가지 강조법을 활용하자.

① 높임 강조 : 목소리를 높거나 크게 소리 내서 강조
② 낮춤 강조 : 목소리를 작거나 낮게 소리 내서 강조
③ 느림 강조 : 속도를 천천히 늦춰서 강조
④ 늘임 강조 : 모음을 길게 소리 내서 말에 생동감을 주며 강조
⑤ 멈춤 강조 : 강조하고 싶은 말 앞에서 잠시 멈춘 뒤 다음 말을 강조

어느 단어를 크게 강조할 것인지, 약하게 강조할 것인지, 어느 부분을 느리게 짚어주듯이 강조하고 어떤 모음을 길게 소리 내서 생동감을 줄 것인지, 그리고 어디쯤에서 잠시 멈춰서 강조할 것인지를 잘 활용한다면 전달력도 높이고 신뢰감을 주는 이미지도 만들 수 있다.

부정적인 감정을 쌓아두지 말라

좋은 관계를 유지하기 위해서는 화난 감정을 쌓아두지 않아야 한다. 차곡차곡 쌓인 감정은 어느 날 갑자기 사소한 일에도 발끈하며 터지게 된다.

테오도르와 사만다는 서로의 감정에 대해 솔직하다. 기분이 상했던 것은 바로 이야기를 하고 또 바로 사과하며 관계를 이어나간다.

사만다　지난주에 나도 마음 아팠어. 좋아하는 사람 잃는 기분 모른대서.

테오도르　그런 말해서 미안해.

사만다　아냐, 괜찮아.

반면, 테오도르의 친구인 에이미의 대사를 보면, 관계가 어떻게 어긋나는지 잘 알 수 있다.

"같이 산 게 8년인데 너무 사소한 걸로 싸우다 끝나더라. 집에 왔는데 나더러 문 옆에 신발을 놓으래. 맨날 놓는 곳 있거든. 근데 난 신발 같은 거 아무데나 놓고, 빨리 소파에 앉아 쉬고 싶어서 10분을 싸웠어.

난 '당신은 너무 명령조다', 그이는 '그냥 좀 정돈하며 살자', 그러면 난 '나도 애쓰고 있다', 그러면 그 사람은 '당신이 애쓴 게 뭐 있냐'는 식이야. 나도 애쓰지만 그의 방식과 다를 뿐이고, 그는 날 자기 식대로 조종하려 들고, 진짜 백 번도 넘게 싸웠어. 이젠 그만 해야겠더라. 더는 못하겠어서, 더는 못 견디겠어서…. 너무 거지같은 기분이었거든. 그래서 내가 나는 이제 잘 거고, 그만 결혼생활 청산하자고 했어."

어떤가. 고작 신발 하나 때문에 8년간의 관계가 끝나버렸다. 하지만 모두가 알고 있다. 고작 신발 하나가 이 관계를 망친 것이 아니라, 그동안 쌓이고 쌓인 감정이 고작 신발 하나로 펑! 터지고 말았다는 사실을. 그러니 관계를 끝내고 싶은 것이 아니라면, 화났을 때 극단적인 한마디는 최대한 하지 않도록 하자. 화를 조금 삭인 후에 해도 충분하다.

사만다와 테오도르처럼 바로바로 감정을 풀고 대화한 결과, 둘은 사람과 운영체제라는 한계를 극복하고 그 누구보다 깊은 관계를 맺을 수 있었다. 테오도르의 친구 에이미가 운영체제와 사귀는 게 어떤 느낌이냐고 묻자 그는 이렇게 답한다.

"정말 좋아. 정말 친근하게 느껴져. 얘기할 때면 곁에 있는 것 같고….”

당신도 상대방의 마음을 얻고 싶은가? 그렇다면 먼저 상대의 말에 귀 기울이는 것부터 시작해 보라. 경청하고 공감해주고 이해해주는 사람에게 어찌 마음을 열지 않을 수 있을까?

이야기의 소재는 어디에나 있습니다

;

〈어거스트 러쉬〉: 주변을 관찰할 것

"귀 기울여보세요. 들리세요?"

때때로 우리는 "앞에 나오셔서 간단히 한 말씀 해주시죠!"와 같은 소개에 이끌려 대중 앞에 설 때가 있다. 그러나 말을 해야 하는 자리나 발표할 기회가 생겨도 막상 입이 떨어지지 않고 머뭇거리는 경우가 많다. 개인과 대화를 나누다가 금세 어색한 침묵이 감돌기도 한다. 대체 뭐라고 말해야 할지 모르겠다고 하소연하는 이들의 고민은 '할 말이 없다'는 것. 하지만 이야기의 소재는 어디에나 있다. 주변을 잘 관찰하면 찾을 수 있다.

〈어거스트 러쉬〉의 주인공은 천재적인 음악성을 지닌 소년이다. 그는 일상에서 발생하는 모든 소리로부터 영감을 얻어 새로운 음악을 창작해낸다. 말하기도 마찬가지다. 일상에 있는 모든 것들이 말하기의 좋은 재료가 된다. 영화 〈어거스트 러쉬〉를 통해 관찰의 중요성을 느껴보자.

듣는 것에도 기술이 필요하다

"말을 잘하려면 어떻게 해야 합니까?"라는 질문에 많은 전문가들이 이구동성으로 내놓은 답이 있다. 바로 '잘 들으라'는 것이다. 잘 들으면 잘 말할 수 있다니 이게 무슨 비법인가. 말을 잘하고 싶다는 사람한테 오히려 말을 하지 말고 잘 듣고 있으라니….

그래도 누군가는 전문가들의 조언이니 한번 시도해보자는 다짐으로 사람들과 있을 때나 혹은 회의 시간에 정말 열심히 듣고만 있었을지도 모르겠다. 그러나 그 결과, 스피치 실력이 좋아지기는커녕 오히려 '무슨 안 좋은 일 있느냐' '원래 그렇게 말이 없느냐' '회의 시간에 너무 소극적인 것 같다'라는 피드백을 받았을 수도 있다.

한 친구는 목청을 높여 억울함을 호소했다.

"말을 잘하려면 잘 들어야 한다니 이게 말장난이지 뭐냐? 실제로 그렇게 시키는 대로 했더니 진짜 듣기만 하다가 끝나더라. 내가 할 말은 정작 하나도 못하고…."

나는 그날 깨달았다. 잘 들으라는 말에는 아주 친절한 부연 설명이 필요하다는 것을.

커뮤니케이션 전문가들은 왜 하나같이 스피치 실력을 키우고 싶으면 먼저 잘 들으라고 했을까? 사람이 말을 배우는 과정을 돌이켜 생각해보면, 듣는 것이 왜 먼저인지 굳이 설명하지 않아도 알 수 있을 것이다. 우리는 어렸을 때 가장 많이 듣는 '엄마' 혹은 '맘마'라는 단어를 가장 먼저 말할 수 있었다. 외국에 가도 유독 귀에 잘 들리는 인사말을 내 입으로도 말할 수 있게 된다. 귀로 먼저 들어야 올바른 소리를 낼 수 있기 때문이다.

대화를 할 때도 마찬가지다. 잘 들어야 상대방의 이야기 흐름에 맞춰 잘 말할 수 있는 것이다. 머릿속으로 다른 생각을 하면서는 제대로 된 대화를 할 수 없다. 귀를 쫑긋 세우고 집중해야 상대방 말의 핵심을 놓치지 않을 수 있고, 상황에 어울리는 리액션을 할 수 있으며, 적당한 답변을 하게 된다. 그러나 잘 듣지 않으면 대화의 흐름을 놓치게 되고, 상대와 공감할 수가 없다. 당연히 상대가 필요로 하는 것이 무엇인지도 알 수가 없고, 그렇기 때문에 말할 수도 없다. 대화가 끊기게 되는 것이다.

마케팅 분야에서는 '니즈(needs)'라는 단어를 많이 사용한다. 고객의 니즈, 다시 말해 고객이 필요로 하는 것을 파악해서 그것을 채워주자는 것이다. 그야말로 고객의 취향 저격을 위한 고민이다. 대화를 할 때 제대로 듣는다면 당신은 상대방의 니즈를 파악하게 될 것이다. 집중해서 잘 들어야만 그가 어떤 정보를 전달하고 싶어 하는지, 어떤 감정을 공유하고 싶어 하는지 정확히 알 수 있다. 이 과정을 거쳐야 상대를 좀 더 이해할 수 있고 공감할 수 있으며 그의 니즈를 충족시키는 말을 할 수 있게 된다. 그래서 잘 말하기 위해 잘 들어야 한다는 것이다.

말을 잘한다는 것은, 그저 아무 말이나 막힘없이 술술 내뱉는 것이 아니다. 적재적소에 필요한 말을 제대로 하는 것을 의미한다. 자신이 말을 했다고 해서 다 말이 아니다. 상대방이 이해하고 들은 것이 비로소 말이고 대화라고 생각해야 한다. 듣는 사람의 니즈 파악이 되지 않은 채 혼자서 열심히 떠든다면 그 말은 버려진 말이다.

듣는 것에도 기술이 필요하다. 잘 들으라는 말 안에는 '공감'과 '관찰'의 의미가 함께 담겨 있다. 아무 생각 없이 그저 듣기만 하는 것이 아니라 가슴으로 공감하며 듣고 눈으로 관찰하며 들어야 대화의 소재를 찾아낼 수 있을 것이다.

말의 소재를 찾는 5가지 방법

영화는 첫 시작부터 영감을 던져준다. 푸른 보리밭 속에 홀로 서

있는 남자아이. 그 아이는 눈을 감고 모든 소리에 집중하며 우리에게 말한다.

들어보세요. 들리나요? 음악이요.
전 들리거든요.
바람 속에 공기 속에 빛 속에…
음악은 우리 곁에 있죠.
마음을 열고 귀를 기울여봐요.
그냥 가만히 들어보세요.

모든 소리를 음악으로 만들어내는 음악 천재 어거스트 러쉬(프레디 하이모어). 영화를 보면 이 소년이 주변의 여러 소리를 어떻게 듣고 어떻게 관찰하는지 살펴볼 수 있다. 들녘에 바람이 스치는 소리, 지하철 소리, 사람들 발자국 소리, 종이가 바람에 날아가는 소리 등 무엇 하나 흘려 듣거나 대충 듣는 법이 없다. 그리고 그 모든 소리를 각각의 음으로 표현해 음악을 완성해간다. 소리 하나하나에 주의를 기울여 듣고 모든 요소를 가공해 마침내 음악으로 재탄생시키는 모습을 보면 감탄사가 절로 나온다. 마치 '창작의 소재는 우리 주위에 충분히 있다'라는 메시지를 전달하는 것 같다. 잘 듣기만 한다면 찾아낼 수 있다고 말이다.

어거스트가 주변의 모든 소리로부터 작곡의 영감을 얻듯, 우리도 주변으로부터 말할 소재를 찾을 수 있다. 그러니 너무 쉽게 할 말이 없다고 포기해버리지 말고 귀를 기울이며 관찰하기를 바란다. 일상에서 소재를 찾는 몇 가지 방법을 소개하겠다.

1) 타인과의 대화에서 찾을 것

SNS의 발달로 인해 요즘은 대부분의 사람이 다양하고 새로운 정보를 지니고 있다. 오죽하면 TMI(Too Much Information)라는 줄임말까지 생겼을까. 누군가와 조금만 대화를 나눠보면 서로가 새로운 사실, 색다른 체험을 지니고 있음을 알 수 있다. 이렇게 일상에서 나누는 대화를 단순한 수다라고 생각하며 흘리지 말고, 대화의 콘텐츠나 에피소드를 저축한다는 생각으로 잘 들어보자. 배운다는 겸손한 자세로 잘 듣는다면 발견할 수 있는 이야깃거리가 생각보다 많이 있다. 그 이야기들을 잘 모아 두었다가 다른 사람과 대화를 할 때라든가, 대중 스피치를 할 때 활용할 수 있다.

또 텔레비전에서나 강연회 등에서 볼 수 있는 연사들이 어떤 방식으로 스피치를 하는지 관찰하는 것도 좋다. 자신의 롤모델이나 명연사의 스피치를 듣고 따라서 적용해보는 것만으로도 스피치의 변화가 시작될 것이다.

2) 자신에게 온전히 집중해볼 것

때로는 내 안의 목소리, 즉 내면의 소리에 집중할 필요가 있다. 타인만 바라보던 시선을 자신에게로 옮기는 것이다. 내 안의 깊은 곳에 존재하는 진짜 나와 만나본 사람의 말에는 힘이 있다. 심연의 나를 만난 사람은 유연하면서도 강한 메시지를 갖는다. 뿜어내는 아우라가 남다르다. 당연히 평소 말투나 스피치에서도 내공이 느껴진다.

말을 잘하기 위해서는 자기 자신을 먼저 잘 아는 것이 크게 도움이 된다. 스스로에 대해 알면 알수록 생각도 분명하게 정리되고, 관심사나 목적이 명확해지며, 나누고 싶은 말도 많아지기 때문이다.

반면 스스로 자신에 대해 잘 모르는 상태라면 자존감도, 자신감도 낮을 수밖에 없다. 특별히 이야기할 것이 없을지도 모른다.

그렇다면 마음의 소리는 어떻게 들을 수 있을까? 쉽지 않은 일이다. 어쩌면 세상 모든 소리 중 가장 듣기 힘든 소리일지도 모른다.

지난 한 달 동안 당신은 몇 명의 사람들과 몇 번의 만남을 가졌는가? 아주 바쁜 삶을 사는 사람은 하루에도 10명이 넘는 사람들과 만나 대화를 할 것이다. 비즈니스와 성공을 위해서 1분 1초를 아껴가며 바삐 달리는 사람도 있다. 그러나 그렇게 무작정 걷고 달리다 보면, 어느 시점에서 떠오르는 질문이 생길 것이다.

"내가 지금 뭐하고 있는 거지? 왜 이렇게 살고 있지? 뭘 위해서?"

내가 아닌 타인에 초점을 맞추고, 세상에 시선을 고정하고 나아가기만 한 결과다. 진짜 내가 무엇을 원하고 있는지, 나는 무엇을 위해 살아가고 있는지를 알기 위해서는 타인과의 만남만큼 나와의 만남을 중요하게 여겨야 한다. 중요한 거래처 팀장을 만날 때만큼 진지하게 나라는 사람과의 만남을 추진하고 성사시켜보자. 홀로 잠잠히 있는 시간을 만들라는 것이다. 산책도 좋고, 명상도 좋고, 여행도 좋다. 무엇이 됐든 혼자서 고요하게 생각하는 시간은 자신을 성장시킬 것이다.

물론 이러한 상황이 낯선 사람도 있을 것이고, 외로움을 느끼는 사람도 있을 것이다. 하지만 횟수가 늘어날수록 내 마음의 소리를 듣는 법도 터득할 수 있게 되고, 오롯이 나만의 시간을 즐기게 될 것이다.

3) 책 속에서 찾을 것

책 속에 길이 있다' 는 말이 있다. 책 속에서 길을 찾을 수 있듯, 말할 소재 또한 무궁무진하게 찾아낼 수 있다. 배경지식을 쌓고 콘텐츠를 늘려가기에 가장 좋은 것이 아마 책일 것이다. 정보와 지식과 지혜와 트렌드까지 모두 얻을 수 있으니 말이다. 평소 할 말이 없다고 느꼈다면 지금부터라도 책을 가까이 해보자.

그렇다고 처음부터 무리하게 책을 사는 것을 권하지는 않는다. 한 권을 읽더라도 정성스레 완독하는 것에 초점을 두고, 책 속에서 원하는 정보와 기쁨을 얻는 것에 집중하길 바란다. 마음에 새겨지는 문장 하나 없이 빠르게 스쳐 지나가는 독서 방식은 말하기에는 그다지 도움이 되지 않는다. 오히려 좋은 책 한 권을 선택해 그 작가의 문장을 여러 번 곱씹어보고 그 의미를 살피며 자신의 말하기에 적용시키는 것이 더 많은 도움이 될 것이다.

4) 사색을 통해 찾을 것

이 부분은 〈죽은 시인의 사회〉라는 영화에서도 다룬 바 있다. 사색은 독서를 한 것 이상의 큰 도움이 된다. 책은 누군가의 사색의 결과물이다. 그러므로 사색을 하는 것은 책을 쓰는 것과도 같고, 그 책을 다시 읽은 것과도 같다. 사색을 많이 한 사람은 자신과 똑같은 생각, 똑같은 문장을 누군가의 책을 통해 확인하는 경우가 많을 것이다. 그러니 사색을 한 것은 책을 읽은 것만큼이나 효과가 있다.

"강사님처럼 말을 잘하려면 책을 얼마나 많이 읽어야 하나요?" 라는 질문을 종종 받는다. 물론 책을 많이 그리고 깊이 있게 읽는 것도 도움이 된다. 하지만 내 말하기 기술의 원천은 독서보다는 생각의 힘인 것 같다. 특히 어릴 때부터 나는 독서보다는 혼자 생각에 잠기는 것을 좋아했다. 깊이 생각해보고 이치를 따지기를 즐겨하던 성향은 확실히 나만의 문장을 만들어내는 데 많은 도움을 줬다.

사색에 사색을 거듭하다 보면 자신 안에 정리되는 강력한 문장을 만날 수 있게 된다. 그리고 그 문장을 입으로 꺼내어 말할 때, 비로소 자신의 말에 힘이 생겼다고 느낄 수 있을 것이다.

5) 자연 속에서 찾아낼 것

자연을 사랑하는 마음으로 가만히 바라보면 자연과 삶의 공통점을 수도 없이 발견할 수 있게 된다. 굳이 깊은 산속으로 들어가지

않아도 된다. 뒷산을 바라보며, 꽃 한 송이를 바라보며, 나무 한 그루를 바라보며, 수시로 바뀌는 하늘의 구름을 보며, 손끝을 스쳐가는 바람을 느끼다 보면 어느 순간 자신의 안에서 문장이 떠오를 것이다. 때로는 사람들 사이에서 얻을 수 없는 삶의 교훈과 지혜를 자연을 통해 얻어내기도 한다.

어거스트와 위저드의 대화에서도 엿볼 수 있다.

위저드 　저 넓은 우주에는 심오한 소리들이 존재해. 자연의 섭리와 물리학 법칙의 지배를 받지. 하모니, 에너지, 파장. 그걸 못 깨우치면 들을 수 없어.

어거스트　어디서 올까요? 제가 듣는 소리요.

위저드　　우리를 둘러싼 모든 것에서. 물론 모두가 듣지는 못해.

위저드의 말처럼 우리를 둘러싼 모든 것에서 영감을 얻을 수 있다. 그러나 모두가 듣지는 못한다. 듣고자 하는 사람만이 들을 수 있을 것이다.

이 다섯 가지 방법을 습관화하면 적어도 할 말이 없어서 말을 못하는 일은 없을 것이다. 제 아무리 뛰어난 연설가라 해도 할 말이 없는 순간에는 무슨 말을 해야 할지 몰라 당황하게 마련이다. 기억하라, 아는 만큼 보이고 아는 만큼 말할 수 있다.

말할 거리는 늘 우리 곁에 있다

최측근 지인이 연애를 시작했다. 나이가 숫자에 불과함을 알고는 있으나 30대 후반의 연애가 가벼울 수는 없을 터. 하여 그녀는 요즘 한껏 신중하다. 너무 신중한 나머지 한마디 한마디가 다 조심스러운 모양이다. 그와 나누는 문자 대화가 조금이라도 막힌다 싶으면 실시간으로 내게 SOS를 보낸다. 뭐라고 대답하면 좋겠느냐, 이 대답은 어떠냐, 저 대답은 어떠냐… 그녀는 지금 아주 사소한 것도 고민이 될 만큼 연애에 충실하고 있다. 다행히 내가 주는 조언이 마음에 드는지 매번 감탄하며 고마움을 표현해준다.

누군가의 말을 업그레이드 시켜주는 일을 하다 보니, 이와 비슷한 요청을 종종 받는다. 면접 준비를 위해 1:1 레슨을 할 때는 수강생의 답변 하나하나를 모두 체크하게 된다. 그리고 수강생의 말이 조금 장황하다 싶으면 표현을 더 명확하게 바꿔준다. 스피치 실습 시간에 무슨 말을 해야 할지 몰라 가만히 있는 수강생이 보이면 할 말이 생기도록 만들어주기도 한다. 기가 막히고 코가 막히게 하는 직장 상사 때문에 극도로 흥분한 지인들이 고민을 털어놓으면 그 상사에게 어떤 답변을 하면 좋을지 아이디어를 한껏 발휘해줄 때도 있다. 그 덕분에 "선생님 뇌를 제 머리에 넣고 싶어요."라는 다소 살벌한 칭찬을 받아보기도 했는데, 그때 알게 됐다. 말을 잘하고 싶어 하는 대다수의 사람들이 진짜 원하는 것은 결국 이것이었다.

"상황에 딱 맞는 적합한 말이 그 순간에 생각나는 것."

그렇게 되기 위해 우리는 앞서 소개한 여러 가지 훈련을 통해 평소에도 다양한 방법으로 말의 근육을 단련해야 한다. 말할 거리는 늘 곳곳에 있음을 기억하길 바란다.

호감에도 전략이
필요합니다
;

〈카사노바〉 : 칭찬으로 호감을 전할 것

"사랑을 받고 싶다면 그럴 자격을 갖추게."

히스레저 주연의 영화 〈카사노바〉는 카사노바의 모습을 경쾌하고 희화적으로 그려낸 작품이다. 카사노바의 진지한 철학과 삶은 빠져 있지만, 그의 달콤한 언변과 유쾌한 사기극을 감상하기에는 충분하다.

대체 카사노바는 어떻게 수많은 여성들의 마음을 사로잡을 수 있었을까. 사랑을 받고 싶다면 그럴 자격을 갖추어야 한다고 말하는 카사노바! 사랑받을 자격을 갖춘다는 것은 무엇일까? 카사노바의 매혹적인 호감 전략에 대해 배워보도록 하자.

만인의 연인 카사노바, 그는 누구인가!

몹쓸 바람둥이를 일컫는 대명사, 여성의 기피대상 1호 '카사노바'가 실존 인물이라는 사실을 알고 있는가.

지아코모 카사노바(Giacomo Casanova, 1725~1798). 30년간 수백 명의 여인들을 만난 그의 전설적인 애정 행각은 듣고도 믿기지 않을 만큼 놀랍다. 그러나 정작 그는, 이토록 방탕하고 난잡하게 보이는 모든 행각을 '사랑'이었다고 말한다. 그에게는 자신이 만나온 수많은 여성의 숫자가 자랑이 아니라, 그 많은 여성을 모두 진심으로 존중하고 사랑했던 것이 자랑이었다.

그가 죽고 수백 년이 지났지만 지금까지도 끊임없이 그의 이름이 회자되는 것은 그가 단순히 바람둥이이어서만은 아닐 것이다. 그야말로 엽색가이기는 하나, 그것은 카사노바 회고록의 일부만을 차지할 뿐이다.

그가 유명세를 탈수 밖에 없었던 것은 그의 삶 자체가 18세기 사람들의 관심사에 집중돼 있었기 때문이다. 당시 사람들은 귀족의 지루함을 덜어주는 일로 돈을 벌 수 있었는데 카사노바의 삶은 지루할 틈이 없었다. 그는 인생의 대부분을 여행을 하면서 보냈고 유럽 전역을 편력했다. 유럽의 큰 궁정과 교류했을 뿐만 아니라 당대 주요 인물들과도 알고 지냈으며 프랑스에서는 상류사회의 스타로 대접받기도 했다. 다방면에 천재성을 보였던 그에게는 '이탈리아에서 가장 뛰어난 결투자' '유럽 최고의 마법사'라는 수식어가 따라다녔다. 그는 수많은 책을 써낸 작가이자 이야기꾼이었지만, 거짓말쟁이에 사기꾼이기도 했으며, 성적 쾌락주의자임과 동시에 독실한 기독교인이라고 자처하기도 했다. 모험가이자 탈옥범이었으며 호사가이며 도박꾼이었다.

극과 극은 통해 있다고 했던가! 극과 극의 모순된 그의 삶은 마치 소설 속 이야기 같지만, 이것이 카사노바의 진짜 삶이었다.

카사노바와 사랑을 나눈 여성은 수백 명에 달하는 것으로 알려져 있다. 귀부인은 말할 것도 없고 매춘부, 수녀, 그도 모자라 얼굴도 모르는 자신의 딸과도 사랑에 빠졌었다고 하니 이쯤 되면 파렴치한 혐오대상 1위로 손색이 없다. 한평생 수많은 여성을 만나고 다닌 남자이니 여성들에게는 손가락질 받아 마땅한 인물이겠으나, 오히려 카사노바와 사랑에 빠지는 여성은 셀 수 없이 많았다.

대체 무엇이 희대의 바람둥이이자 사기꾼인 그를 사랑하도록 만들었을까? 그의 거부할 수 없는 매력은 도대체 무엇이었을까?

카사노바는 당당히 조언한다.

"우울한 건 매력 없어. 사랑을 받고 싶으면 그럴 자격을 갖추게. 그게 첫 번째 규칙이야. 두 번째 규칙은 불나방이 아니라 불꽃이 되어야 한다는 것이네."

그렇다. 수많은 사람 중에서도 유독 호감이 가는 사람은 따로 있다. 물론 외모에 상관없이 말이다. 카사노바는 사랑을 갈구하며 우울해하기보다는 적극적으로 사랑받을 만한 자격을 갖추라고 말한다. 모두가 알고 있을 것이다. 사람의 마음을 사로잡는 것은 부탁이나 강요로 되지 않는다는 사실을. 사람에게는 누구나 장점이 있다. 본인의 근사한 부분을 스스로 발견하고 개발해 나만의 매력을 갖추었을 때, 비로소 나 자신의 눈에도 그리고 타인의 눈에도 사랑스러운 사람이 될 수 있다.

또, 불나방처럼 불꽃을 보고 달려들지 말고, 스스로 불꽃이 되어 불나방이 날아들게 하라는 조언도 인상적이다. 즉 상대방이 더 적극적으로 다가오게 만드는 전략이 필요하다는 것이다. 자신의 매력을 발산하면 자연스럽게 주위의 호감도는 상승할 것이다. 이 비법이 바로 카사노바 커뮤니케이션의 핵심이다.

그렇다면 카사노바는 어떻게 상대가 마음을 열고 먼저 다가오게 했을까? 비결을 소개하기에 앞서, 다음에 소개하는 내용은 21세기 카사노바를 양성하기 위함이 아니라 진실한 대화를 위한 것임을 확실히 밝히고 싶다. 그러니 간절함과 진정성으로 다가가고 싶은 대상에게 아껴서 사용하기를 바란다.

상대방을 연구하라

카사노바는 자신이 관심을 가지고 있는 상대방을 연구했다. '지피지기면 백전백승'의 지혜가 여기서도 통하는 것인데, 그의 관심

대상은 늘 여자였으니 그의 연구대상 또한 여성이었다. 자신은 여성을 위해서 태어난 사람이라고 말할 만큼 여자를 좋아했고, 그녀들이 무엇을 좋아하는지, 무슨 말을 듣고 싶어 하는지 너무나 잘 알고 있었다.

여성의 심리를 잘 알고 있는 그의 모습은 영화에도 고스란히 표현돼 있다. 사랑을 고백하는 장면에서 그는 여심을 이렇게 공격한다.

"나의 사랑, 당신만을 사랑하오. 내가 꿈에 그리던 여인!"

장인어른이 될 수도 있는 사람을 찾아가서도 똑같이 말한다.

"따님만을 사랑하겠습니다."

오직 나 자신만을 사랑해주길 바라는 여성의 바람대로, 그는 그녀들이 듣고 싶어 하는 말을 표현할 줄 아는 사람이었다.

그러나, 이 수법이 프란체스카를 만나면서부터 통하지 않는다. 프란체스카는 독립적이고 주도적이며 여권신장에 목소리를 높이는 여성이다. 카사노바의 가벼운 정욕에 일침을 가하는 당당한 프란체스카 앞에서 카사노바도 할 말을 잃는다.

"여자의 희생을 바탕으로 사랑을 구하는 사람과 친구라면 토론할 가치를 느끼지 못하겠네요. 그런 사람의 노리개밖에 안 되는 여자들도 한심하지만요. 그런 사랑은 이기심일 뿐이고, 이기심은 곧 열등감이죠. 진정한 남자라면 한 여자에게만 자신의 모든 것을 바칠 거예요. 그 상대가 나라면 저도 그 사람만 영원히 사랑하겠죠."

이날 이후로 카사노바는 이제 오직 한 여자, 프란체스카에 대한 연구를 시작한다. 그 이유는 그녀가 원하는 방식으로 소통하는 것이 중요함을 알고 있기 때문이다.

상대방의 의견을 물어보라

프란체스카의 뒤를 미행하던 중 카사노바는 그녀가 어떤 대화법을 좋아하는지 알아내게 된다. 그것은 바로 상대의 의견을 묻는 것이다. 혼자 주장하지 않고 상대의 의견도 물어봐주는 것, 이것은 상대방을 존중하는 커뮤니케이션인 동시에 논쟁이 감정 싸움으로 번지지 않도록 돕는 지혜로운 소통방식이기도 하다.

프란체스카 사랑은 하룻밤 불장난이 아니에요. 진정한 사랑은 애인의 숫자에 비례치 않아요. 오히려 그 반대죠.

카사노바 사랑을 찾아 헤매는 자를 비난할 순 없소. 아마 진정한 사랑의 느낌을 모르는 자의 공허한 외침이겠죠. 평생이 아닌 하룻밤의 위안을 위한…. 그래도 그걸 사랑이 아니라고 할 순 없을 겁니다. (…중략…)
아! 너무 저 혼자 떠들었군요. 이 문제에 대한 당신 의견은 어떤가요?

꼭 연인 사이가 아니라 하더라도, 가까운 친구 사이에서 혹은 가족끼리, 그리고 직장에서도 상대의 의견을 물어보는 것은 무척 중요하다. 말을 못하게 막는 것은 무시하는 행위이다. 이에 반해 당신의 말을 들어주겠다는 것은 상대방을 존중한다는 뜻이니 나를 존중해주는 사람에게 호감을 느끼게 되는 것은 당연한 것 아니겠는가!

호감을 부르는 최고의 기술은 칭찬이다

수백 명 여성의 마음을 사로잡은 인물이라는 점에서 어쩌면 그는 장동건과 같은 '조각 미남'이 아닐까 생각할지도 모른다. 그러나 그의 외모는 생각보다 평범했음을 영화에서도 언급하고 있다. 빅토리아의 아버지는 카사노바를 처음 만났을 때 이렇게 말했다.

"당신을 모르는 사람은 없죠, 카사노바 씨. 당신이 어떻게 생겼는지 늘 궁금했소. 그런데 아주 평범하군요."

평범한 외모의 소유자였던 그는 도대체 여성들에게 어떤 매력을 어필했던 것일까? 카사노바의 최고 매력은 그의 외모나 능력이

아닌 '달콤한 언변'으로 전해진다. 똑똑하고 지식이 많아 말솜씨가 좋기도 했지만, 하이라이트는 여성들을 향한 아낌없는 칭찬이었다.

칭찬은 고래도 춤추게 한다는 말은 익히 들어 알고 있을 것이다. 누구나 칭찬을 좋아한다. 자신을 무시하고 비난하는 사람보다 칭찬을 건네는 사람에게 당연히 마음이 가는 법이다. 그러나 칭찬도 제대로 하지 않으면 독이 된다. 진심이 담기지 않은 칭찬은 그저 형식적인 립 서비스로 느껴진다. 다만 상대에게 표현하지 않을 뿐이다.

진정성 없는 형식적인 칭찬을 여러 번 하다 보면 오히려 사람들로부터 신뢰를 잃게 된다. 칭찬 한 번 잘못 했다가 오히려 '늘 가식적으로 좋은 말만 하는 사람'으로 분류되거나 '영혼 없는 칭찬'을 하는 사람으로 낙인찍힐 수 있다.

그렇기 때문에 칭찬에도 기술이 필요하다. 어떻게 칭찬하느냐에 따라 진심으로 느껴지기도 하고, 형식적으로 느껴지기도 한다. 또 순수한 마음으로 하는 칭찬인지, 무언가 목적이 있어서 의도적으로 칭찬을 하는 것인지도 알 수 있다.

칭찬은 설득의 시작이다. 누군가의 마음을 움직이기 위해 좋은 인상을 남기는 것은 매우 중요하기 때문이다. 그리고 좋은 인상을 남기는 가장 적극적인 방법이 바로 칭찬이기도 하다. 간단한 말 한마디로 상대방의 기분을 순식간에 좋아지게 만드는 힘을 지녔으니 말이다.

그렇다면 제대로 칭찬하는 기술에는 어떤 것이 있을까? 다음 4가지 기법을 통해 '호감을 부르는 진짜 칭찬'을 익혀보길 바란다.

1) 타이밍을 맞추어 칭찬할 것

칭찬은 칭찬 받아 마땅한 순간에 하는 것이 포인트다. 타이밍을 놓치면 진정성을 의심 받게 된다. 나 역시 때 지난 칭찬을 들은 적이 있다. 매일 얼굴을 보는 상사인데도 불구하고, 한 달도 더 지난 일을 이야기하며 갑자기 칭찬을 하는 것이다. 평소에는 인사를 해도 무표정으로 대하던 사람이 갑자기 환하게 웃으며 칭찬을 하니 어리둥절했다. 순간 그 사람에게 칭찬을 받아 기분이 좋기보다는, 매일 얼굴을 보는 사이임에도 불구하고 당시에는 모르는 척하고 있다가 이제 와서 지나간 이야기를 꺼내며 한껏 칭찬하는 의도가 궁금해졌다.

알고 보니 역시나 그녀는 내게 부탁할 일이 있었다. 더욱더 그녀의 칭찬이 진심으로 느껴지지 않았다. 설령 그 칭찬이 진심이었다 할지라도 시기를 놓친 칭찬은 이렇게 의심받게 된다. 물론 서로 대화를 나눌 기회가 없었거나 나중에 소식을 접하고 뒤늦게 칭찬을 해주는 것은 예외다.

덧붙이자면, 무언가 부탁하기 직전에 칭찬을 하는 것도 삼가는 것이 좋다. 앞의 사례처럼 오히려 역효과가 나기 때문이다. 괜히 기분 좋으라고 한 말이 오해를 부를 수도 있는 노릇이다. 칭찬은 타이밍이 생명이라는 사실을 기억하길 바란다.

2) 구체적으로 칭찬할 것

형식적이고 의례적인 칭찬으로 들리지 않게 하기 위한 방법은 바로 구체적으로 칭찬하는 것이다. 예를 들어 그저 "예쁘시네요." 보다는 "피부 결이 참 좋으시네요. 마음도 깨끗하실 것 같아요." "눈빛이 참 맑으시네요. 영혼도 맑은 분인 것 같아요."라고 말하는 것이 더 기분 좋고 성의 있게 들린다. "예쁘시네요."는 모든 여성들이 듣기 좋아하는 말이기는 하나 그만큼 형식적으로도 많이 하기에 큰 감동이 없는 칭찬이기도 하다. 마찬가지로 "인상이 좋으시네요."라는 말 역시 첫 만남에서 습관적으로 주고받는 말이기에 큰 감동을 줄 만한 칭찬은 아니다. "눈이 선하고 맑아서 그런지 인상이 정말 좋아 보이세요."처럼 구체적인 매력 포인트를 이야기하는 것이 더 진정성 있는 칭찬으로 들린다.

아이돌을 응원하는 팬들의 플랜카드만 봐도 그렇다. '너무 멋져요!'와 같은 무난하고 추상적인 문구는 찾기 힘들다. '초콜릿 복근' '날리는 머릿결' '우윳빛깔' 등 대상의 장점과 매력을 구체적으로 언급하곤 한다. 구체적인 칭찬은 그만큼 상대방에게 관심이 많다는 뜻이기도 하다.

카사노바는 영화에서도 이렇게 구체적으로 표현하며 사랑을 고백한다.

"대학 토론장에서 당당하게 자기주장을 펼 때나 결투를 할 때 눈치 챘어야 하는데…. 아름다운 얼굴 뒤에 숨겨진 베르나도 과르디, 당신을 사랑하오. 프란체스카."

빤히 보이는 외모를 형식적으로 칭찬한 것이 아니라, 구체적으로 어떤 상황에서 매력을 느꼈는지를 언급했다. 여심을 녹이지 않을 수 없는 멘트다.

만약 이런 칭찬이 오글거려서 자신이 없다면, 감사의 표현을 전할 때 구체적으로 표현하는 것부터 연습해보자. 도움을 받았을 때 그냥 "고마워."라고 말하기보다는 "이거 혼자 들기 정말 무거웠는데 같이 들어줘서 정말 고마워, 덕분에 쉽게 끝났어!"와 같이 어떤 상황에서 어떻게 해줘서 고마운 건지 구체적으로 표현하는 것이다. 연인, 친구, 가족처럼 가까운 사이에서도 마찬가지다. 구체적으로 표현할 때 더욱 진심으로 느껴진다.

강의를 마치고 나면 수강생 분들이 매일이나 문자로 피드백을 줄 때가 있다. '강사님 특강 너무 좋았습니다.'라고 오는 문자도 물론 기쁘지만, '제가 그동안 발표 울렁증이 너무 심각해서 고민이 많왔는데 오늘 강사님 강의를 들으니 저도 이 문제를 극복할 수 있겠다는 자신감이 생겼습니다. 정말 잊지 못할 강의였습니다. 다음에 기회가 되면 또 듣고 싶습니다.'라는 문자에는 더 큰 감동이 있을 수밖에 없다.

3) 단점도 장점으로 바꾸어 칭찬할 것

부부나 연인간의 갈등 문제로 하소연하는 지인들에게 서로의 배우자나 연인을 칭찬해보라고 말하면, 신기하게도 돌아오는 대답은 한 가지다.

"칭찬할 게 있어야 칭찬을 하지."

갑자기 누군가를 칭찬하는 것은 쉽지 않은 일이다. 평소에 칭찬을 잘 안 하던 사람이면 더욱 그럴 것이다. 하지만 장점이 없는 사람은 아무도 없다. 그저 나의 관점이 그 사람의 장점을 찾지 못한 것뿐이다. 좋은 점을 보려고 하면 좋은 점이 보이고, 안 좋은 점을 보려고 하면 또 안 좋은 점만 보이는 법이다. 그래서 상대를 바라볼 때 장점을 찾아보려는 마음으로 바라보는 것이 중요하다.

영화에도 관점에 따라 사람에 대한 평가가 달라질 수 있음을 보여주는 부분이 있다. 카사노바가 자신이 카사노바인 것을 감춘 채

프란체스카와 대화하는 장면이다.

카사노바 카사노바는 철학자죠. 완성된 삶을 위해 평생을 바친 사람이에요.

프란체스카 아뇨. 카사노바는 정욕에 눈이 먼 난봉꾼이에요.

카사노바 결국 같은 얘기네요.

프란체스카 그런 남자에겐 뭔가 큰 문제가 있는 게 분명해요. 안 그래요? 아주 중요한 걸 모르는 거죠. 진실한 사랑 같은 거요.

카사노바 사랑은 다 진실하죠. 가짜로 사랑한다는 말은 가짜 믿음만큼 모순된 말이죠.

프란체스카 당신도 철학자시군요.

카사노바 전 수많은 시간을 카사노바와 지내면서 사람은 사랑을 하면 천사가 될 수 있단 걸 깨달았어요.

프란체스카 짐승도 될 수 있죠.

이처럼 칭찬 또한 어떻게 바라보고 어떻게 해석하느냐에 따라 얼마든지 새롭게 창조될 수 있다. 예를 들어 느린 행동을 안 좋게 생각하면 게으른 것이 되겠지만, 좋은 쪽으로 생각하면 신중함으로 해석할 수 있다. 빠른 행동을 단점으로 보면 성미가 급하다고 하겠지만, 장점으로 보면 추진력이 있는 것이다. 관점을 바꾸면 단점으로 느꼈던 것이 장점이 될 수 있다. 이렇게 관점을 바꾸는 칭찬은 상대에게 더 큰 감동을 전해줄 것이다.

카사노바의 회고록에 따르면 그가 선택했던 여성들은 수려한 외모를 뽐내는 미인형이기 보다는 평범하고 개성이 없는 여성이었다. 미인 앞에서만 줄을 서는 다른 남성들과 다르게 그는 그다지 인기가 많지 않은 여성을 선택한 후, 그녀가 가진 숨겨진 매력을 찾아내며 찬사를 쏟아 부은 것으로 전해진다. 그러니 그 여성의 마음이 녹지 않고 배기겠는가!

시도해보자. 칭찬할 구석이 없는 사람은 없다. 카사노바처럼 당신도 관점만 바꾼다면 얼마든지 발견해낼 수 있다.

4) 함께 칭찬할 것

상대방에게 칭찬을 받을 때 보통 "네, 고맙습니다." "감사합니다." 정도로 대답하곤 한다. 앞으로는 "감사합니다."에서 그치지 말고 칭찬도 되돌려주도록 하자. 혹여 상대가 정말 의례적이고 형식적인 뉘앙스로 "인상이 좋으시네요."라는 칭찬을 건넸다고 하더라도 "좋은 분을 뵙게 돼서 제 얼굴이 밝아졌나 봅니다."라고 다시 칭찬을 건네보자. 칭찬으로 화답하는 센스에 상대방 기분이 좋아지는 것은 물론이고, 상대방은 당신을 만나면 기분 좋아지는 사람으로 기억하게 될 것이다. 상대방이 하는 모든 칭찬은 모두 그들 덕분인 것으로 연결시켜서 말하는 고급 기술을 연마한다면, 상대가 누구든 그 마음을 사로잡을 수 있을 것이다.

진심은 결국
통하게
되어 있습니다
;

〈굿 윌 헌팅〉: 말에 마음을 담을 것

"네 잘못이 아니란다."

〈굿 윌 헌팅〉은 상처는 많고 희망은 없는 천재 청년 윌이 인생의 진짜 스승을 만나 어떻게 자신의 길을 찾아가는지 보여주는 영화다. 또, 고집불통에 상처투성이인 윌이 어떻게 마음을 여는지 숀 교수의 소통 방식에도 주목하게 된다. 굳게 닫힌 한 사람의 마음을 열어가는 스토리인 만큼 그 둘이 나누는 대화가 관전 포인트라고 할 수 있겠다. 진심을 담은 말의 힘이 어떤 결과를 낳는지, 그리고 말에 진심을 담으려면 어떻게 해야 하는지 영화를 통해 알아보자.

대화에도 인내가 필요하다

주인공 윌은 수학, 법학, 역사학 등 모든 분야에서 천재성을 발휘하는 청년이다. 그러나 어린 시절 가정 폭력에 의한 상처로 그의 관점은 매사에 부정적이고 불안하다. 대학교에서 청소부로 일하던 윌은 어느 날 복도 칠판에 적힌 아무도 풀지 못하는 수학 문제를 우연히 풀게 되고, 이 일로 수학과 교수인 램보 교수의 눈에 띄게 된다. 윌의 재능을 발견한 램보 교수는 윌의 내면 치료를 돕고 그가 학업에 집중할 수 있도록 하기 위해 심리 상담가를 연결한다.

그러나 윌은 모든 상담사를 무례하고 거칠게 대한다. 윌과 한 번 만나고 나면 그 누구도 다시는 그를 만나고 싶어 하지 않을 정도로 말이다.

결국 램보 교수는 자신의 대학 동기인 심리학 교수 숀을 찾아가 부탁한다. 숀은 윌을 치료해보기로 했지만 두 사람의 첫 만남 또한 쉽지만은 않다. 윌의 태도는 오만하고 무례하다.

숀 운동 하니?

윌 역도 하세요?

숀 그래.

윌 장비는 노틸러스?

숀 아니, 역기를 써.

윌 정말이요? 역기?

숀 그래. 한때는 프로 선수였어.

윌 얼마나 들어요?

숀 285파운드. 자넨?

윌 (그림을 가리키며) 직접 그리신 거예요?

숀 그래, 너도 그림 그리니? 아니면 조각을 하니?

윌 아뇨.

숀 예술을 좋아하나? 음악은?

윌 (그림을 바라보며) 완전히 쓰레기네요.

숀 솔직히 어떻게 생각하는지 말해봐.

윌 선과 인상파적 혼합으로 구도가 엉망이에요. 게다가 호머 작품 빰치네요. 배에 탄 사람만 빼면요.

숀 좀 묘하지. 모네 작품은 별로였거든.

윌 중요한 건 그게 아니죠.

숀 그럼?

윌 색감이요.

숀 진짜 웃기는 건 뭔지 알아? 사실은 인쇄된 그림에 지시대로 색만 입혔거든.

윌 그래요? 색깔 좋기만 한데요, 뭘!

숀 그래? 소감은?

윌 누구처럼 교수님도 곧 자기 귀를 자를 것 같네요.

숀 정말?

윌 네.

숀 그럼 당장 프랑스 남부로 이사 가서 고흐로 이름을 바꿀까?

숀은 질문을 하고, 윌은 부정적인 반응을 보이거나 아예 질문을 무시하고 화제를 바꾸는 패턴으로 대화에 임한다. 아주 무례한 태도다. 하지만 그럼에도 불구하고 숀은 대화를 포기하지 않고 윌의 눈높이에 맞춰 질문하며 윌을 알아가고자 한다. 이 사람과 반드시 소통을 하고자 하는 강한 의지를 가지고, 끝까지 포기하지 않으려고 하는 것이다.

선을 넘는 말이 대화를 망친다

그런데 이처럼 인내하며 윌과 소통하려는 숀의 의지를 꺾어버리는 것은 고작 선을 넘은 말 한마디뿐이라는 사실을 알 수 있다.

윌 '풍전등화'라는 말 알아요?

숀 그래.

윌 어쩌면 교수님이 그런 상황인지도 몰라요.

숀 어째서?

윌 폭풍 속의 항구처럼 위태위태해 보여요. 머리 위의 사나운 폭풍우와 집채만 한 파도, 게다가 노는 부러질 것 같고 너무 놀라 혼비백산할 지경이라 있는 힘을 다해 항구로 치닫는 꼴이라고요. 어쩌면 힘든 현실을 피하려 정신과 의사가 됐는지도….

숀 맞아. 그거야. 그러니까 직분을 다 해야지. 빨리 시작하자.

윌 잘못된 짝과 결혼했나 보군요.

숀 (발끈하며) 입 조심해. 조심하라고, 알았어?

윌 내가 맞힌 거죠? 부인을 잘못 얻었나요? 왜요? 배신하고 도망갔어요? 딴 남자랑 눈 맞아서?

숀 (윌의 목을 조르며) 다시 내 아내를 모욕했다간 널 그냥 안 두겠어. 그냥 안 두겠다고. 알아들었어?

일부러 숀을 자극하는 윌의 말에 결국 숀은 폭발하고 만다. 사람에게는 누구나 약한 부분이 있고, 윌은 숀의 약한 부분을 간파했다. 그러나 거기서 멈추지 않고 고의로 '선'을 넘어버린 것이다. 아무리 성품이 좋아도 그 부분이 건드려지면 날카로워진다. 그저 분노를 표출하는 것에서 그치지 않고 그간 쌓은 관계마저 와르르 무너질 수 있다.

이처럼 상대방에 대한 배려 없이 말하는 사람을 보면 안타까움

이 생긴다. 그들은 생각 없이 한 말이라고 별 뜻 없으니 기분 나빠하지 말라는 변명을 늘어놓지만, 그사이 누군가는 상처를 받고 괴로워하는 모습을 종종 보게 된다. 그러니 말을 할 때는 생각을 하면서 말을 해야 한다. 자신이 사용할 단어나 문장이 상대방에게 어떻게 느껴질까 생각해봐야 한다.

만약 상대방의 마음을 가늠하기 어렵다면 입장을 바꾸어 생각하는 것으로도 충분하다. '만약 내가 이 말을 들으면 어떨까?' 하고 자신에게 되물어보는 것이다. 만약 당신의 귀를 자극하는 단어가 있다면, 그것은 상대에게도 결코 좋지 않은 말이 될 것이다. 생각 없이 말 한 것은 결코 자랑이 아니다.

충고에는 애정이 담겨 있어야 한다

윌과의 두 번째 상담에서 숀은 너무도 차분하고 담담한 어조로 자신의 이야기를 꺼낸다. 그리고 윌의 문제점을 정확하게 지적한다.

"전에 네가 내게 했던 말에 대해 생각해봤어. 내 그림을 보고 했던 말 말이야. 그러느라 한참 잠을 못 이루었지. 그러다 갑자기 뭔가를 깨닫고는 그대로 깊고도 편한 잠에 빠져들었다. 너에 관해서 완전히 잊은 채 말이지. 그게 뭐였는지 아니?

바로 네가 어린애라는 거야. 넌 스스로가 뭐라고 말하는지도 잘 모르고 있어. 넌 보스턴을 떠나본 적이 없으니까. 내가 미술에 대해 물으면 넌 온갖 정보를 다 가져다 대겠지. 미켈란젤로를 예로 들어 볼까? 그에 대해 잘 알 거야. 그의 걸작이나 정치적 야심, 교황과의 관계, 성적 본능까지도 알 거야, 그렇지? 하지만 시스티나 성당의 내음이 어떤지는 모를걸? 한 번도 그 성당의 아름다운 천정화를 본 적 없을 테니까. 하지만 난 봤지.

여자에 관해 물으면 네 타입의 여자들에 관해 장황하게 늘어놓겠지. 벌써 여자와 여러 번 잠자리를 했을 수도 있고 말이야. 하지만 여인 옆에서 눈을 뜨며 느끼는 행복이 뭔지는 모를 거다. 사랑에 관해 물으면 한 수 시까지 읊겠지만 한 여인에게 완전한 포로가 되어 본 적은 없을걸! 눈빛에 완전히 매료되어 신께서 너만을 위해 보내 주신 천사로 착각하게 되지. 절망의 늪에서 널 구하라고 보내신 천사.

또한 한 여인의 천사가 되어 사랑을 지키는 것이 어떤 건지 넌 몰라. 그 사랑은 어떤 역경도, 심지어 암조차 이겨내지. 죽어가는 아내의 손을 꼭 잡고 두 달이나 병상을 지킬 땐 더 이상 환자 면회 시간 따위는 의미가 없어져. 진정한 상실감이 어떤 건지 넌 몰라. 타인을 네 자신보다 더 사랑할 때 느끼는 거니까. 누굴 그렇게 사랑한 적

없을걸?

내 눈엔 네가 지적이고 자신감 있기보다 오만에 가득한 겁쟁이 애송이로만 보여. 하지만 넌 천재다. 그건 누구도 부정 못해. 그 누구도 네 지적 능력의 한계를 측정하지 못해. 그런데 그런 네가 고작 그림 한 장만 보고 내 인생을 다 안다는 듯 내 아픈 삶을 잔인하게 난도질했어.

너 고아지? 하지만 내가 〈올리버 트위스트〉를 읽는다고 네가 얼마나 힘들게 살았고, 네가 뭘 느끼고 사는 사람인지 알 수 있을까? 그게 널 다 설명할 수 있다고 생각하니? 솔직히 말하면, 젠장! 그런 것 따위 난 알 바 없어. 어차피 너한테 들은 게 없으니까. 책이 뭐라고 하든 아무 상관이 없다는 말이야. 그러니 네 스스로에 대해 네가 직접 말해야 돼. 자신이 누군지 말이야. 그렇다면 나도 관심을 갖고 대해주마. 하지만 그렇게 하고 싶지 않지? 자신이 스스로 어떤 말을 할까 겁내고 있으니까. 윌, 이제 네가 선택할 시간이다."

상대방으로 인해 기분이 언짢아졌을 때 나의 마음을 어떻게 표현해야 할지, 상대방에게 조언이나 충고를 해야 할 때 어떤 방식으로 전달해야 할지 고민이 되곤 한다. 자칫 상대방의 기분이 상할 수도 있고, 이로 인해 대화와 관계까지 단절될 수 있기 때문이다. 조심스러워지는 것이 사실이다.

그럴 때 숀 교수의 화법을 참고하면 도움이 될 것이다. 그 특징을 정리하면 다음과 같다.

① 상대에 대한 불편한 감정을 가라앉힌 후 이야기한다.
② 차분하고 낮은 음성으로 말해 진지하고 진정성 있게 들리도록 한다.
③ 상대방의 장점을 인정하고 존중하면서 이야기한다.
④ 대구 대조법을 사용해 반박할 수 없는 논리적인 흐름을 만든다.
⑤ 상대방을 진심으로 위하는 마음을 담는다.

잘못을 지적받는 것은 그다지 유쾌하지 않은 일이다. 그러나 이 5가지를 염두에 두고 전달한다면 상대방도 진지하게 자신을 돌아볼 수 있을 것이다.

여기에서 가장 중요한 것은 상대방을 위하는 마음으로 애정을 가지고 충고해야 한다는 것이다. 비난하기 위한 목적으로 충고하는 것은 상대에게도 자신에게도 유익하지 않다. 자칫 잘못하면 감정싸움으로 번질 수도 있다.

그러나 누군가 나에 대한 애정을 가지고 조언해준다면, 그 말은 다시 한 번 되새겨볼 필요가 있다. 애정이 담긴 충고나 조언은 자신을 성장시키는 밑거름이 되기 때문이다.

그러나 윌처럼 마음을 굳게 닫고 있는 사람과의 소통은 이것만으로는 충분하지 않을 것이다. 고집이 센 사람일수록 닫힌 마음을 열기란 쉽지 않다. 그 의중을 파악하는 것도 쉽지 않다.

그래서 숀 교수가 처음부터 선택한 것은 바로 질문 기법이다. 질문을 통해 상대방이 중요하게 여기는 핵심 가치와 숨은 의도를 유추해볼 수 있기 때문이다.

사람들은 보통 자신이 한 가지 주장을 하게 되면 그 주장을 잘 바꾸지 않으려고 한다. 말의 연속성 때문이다. 그래서 자신의 의견을 지키기 위해 때로는 궤변을 늘어놓는 경우도 많다. 이럴 때 당사자에게 스스로가 억지 주장을 하고 있음을 자각시키기에 좋은 방법이 있다. 바로 '왜'라는 질문이다. 대부분 합리적인 근거가 없기 때문에 스스로 억지를 부리고 있음을 깨닫게 해준다.

만약 '왜'라는 질문에도 자신의 속내를 이야기하지 않는다면 '왜 안 되는가?'라고 질문해 보는 것도 좋다. 다음 대화를 살펴보자. 윌이 좋은 일자리를 소개받지만, 모두 거부하며 면접을 일부러 엉망으로 보는 장면이다.

윌 왜 제가 국가 안보처에서 일해야 하죠?

면접관 최신 기술을 다루게 될 테니 다른 데서 볼 수 없는 기술들도 알게 될 거다. 극비를 다루게 될 테니까 모든 수학 이론과 고등 연산 등…

윌 암호 해독?

면접관 그것도 우리 일의 일부지.

윌 왜 이래요? 그게 주 업무잖아요? 정보부 일의 80%를 하고 있다는 거 알아요. 조직 규모는 정보국의 7배는 되고요.

면접관 자랑할 일은 아니지만 자네 말이 맞아. 그러니까 자네의 경우엔 이렇게 물어야 하겠군. 우리와 일하면 안 되는 이유가 뭐냐고 말일세.

윌 왜냐고요? 어려운 질문이지만 대답해보죠. (…중략…)

(장면이 바뀌고, 숀 교수의 연구실)

숀 하지만 한 가지 물어보마. 청소부라면 어디서든 할 수 있었어. 그런데 왜 하필 세계 최고의 MIT에서 일하기로 했지? 왜 밤에 칠판 앞에서 어슬렁대며 세계에서 몇 명만이 풀 수 있는 문제를 푼 거야? 청소부가 고귀한 직업이라 그런 것 같진 않구나. 진짜 하고 싶은 게 뭐야? 똑바로 보고 말해. 넌 뭘 하고 싶니?

커뮤니케이션 불변의 법칙 중 하나는 공감의 법칙이다. 진심으로 공감해주고 이해해 주는 사람에게는 자연스레 신뢰가 생기고 마음이 열린다. 도저히 소통이 안 될 것만 같았던 윌도 마찬가지였다.

램보 교수와 숀 교수가 자신의 치료 방식에 대해 서로 대립하며 다투는 모습을 우연히 보게 된 날, 윌은 숀의 진심을 알게 된다. 그리고 드디어 마음을 열기 시작한다. 다음은 램보 교수에게 자신의 주장을 강하게 펼치는 숀 교수의 대사이다.

"윌이 왜 그런다고 생각하나? 이유를 생각이나 해봤어? 이봐, 내 말 잘 들어. 왜 현실을 회피하고 왜 아무도 믿지 못할까? 그건 사랑하는 사람들에게 버림받았기 때문이야. (…중략…)

그가 어떤 애인줄 아나? 사람들이 자기를 떠나기 전에 먼저 떠나게 만들고 있어. 방어 심리라고. 알아? 그것 때문에 20년이나 외롭게 살아온 애야. 지금 자네가 그 애를 몰아붙이면 그 악순환이 반복된다고. 그렇게 되게 보고만 있을 수 없네. (…중략…) 윌은 좋은 아이야. 네 녀석이 지금처럼 그 애를 몰아세우게 놔두지 않겠어! 실패자처럼 느끼게 하지도 않겠어!"

램보 교수가 윌에게 원하던 것은 성공과 명성이지만, 숀 교수가 윌에게 바라는 것은 조금 더 근본적인 마음의 치유와 행복이었다. 숀 교수의 진심은 이제 윌의 마음에도 전해진다. 다음의 대화를 통해 진심이 낳은 결과를 발견할 수 있다.

윌 그건 뭐죠?

숀 네 서류다. 판사에게 보내 평가를 받아야 하거든.

윌 설마 나쁘게 쓰신 건 아니겠죠? 뭐라고 쓰여 있죠?

숀 보고 싶니?

윌 왜 그러세요? 혹시 선생님도 경험 있으세요?

숀 20년간 상담하다 보니 별별 끔찍한 걸 다 봤다.

윌 아니, 제 말은 직접 경험하셨냐고요.

숀 나? 그래, 있어.

윌 더러운 기분이었겠죠?

숀 아버지가 알코올 중독자셨다. 늘 고주망태였지. 완전히 곯아떨어져 팰 사람을 찾곤 했어. 난 엄마와 동생이 맞지 않게 하려고 먼저 덤볐지. 반지를 끼고 계신 날이면 더 재미있었어.

윌 그 남자는 늘 탁자에 렌치와 막대기와 혁대를 늘어놓고 저더러 선택하라고 했었죠.

숀 나 같으면 혁대로 하겠다.

윌 전 렌치를 택하곤 했어요.

숀 왜?

윌 할 때까지 해보란 심정이었죠.

숀 네 양부였니?

윌 네. 저의 평가 결과는 어때요? 애정 결핍 같은 건가요? 버림 받을까 두려워하는 거? 그래서 제가 스카일라와 헤어진 걸까요?

숀 헤어진 줄 몰랐어.

윌 헤어졌어요.

숀 털어놓고 싶니?

윌 아니요.

숀 윌! 나도 아는 게 많지 않지만 이 기록들 모두 다 헛소리야…. 네 잘못이 아냐.

윌 알아요.

숀 내 눈을 똑바로 쳐다봐. 네 잘못이 아니야.

윌 (눈시울이 붉어지며) 알아요.

숀 네 잘못이 아니야.

윌 (잠시 바라보며) 안다고요.

숀 아냐, 넌 몰라. (더 다가가며) 네 잘못이 아니다.

윌 알아요.

숀 네 잘못이 아냐.

윌 알았어요.

숀 네 잘못이 아냐. 네 잘못이 아니야.

윌 (눈물을 흘리며) 성질나게 하지 말아요.

숀 네 잘못이 아니야.

윌 (숀을 밀쳐내며) 제발 화나게 하지 말란 말이에요. 선생님만이라도!

숀 (더 가까이 다가가며) 네 잘못이 아니었어.

윌 (목 놓아 울며 숀을 끌어안는다) 젠장, 정말 죄송해요.

숀 다 잊어버리렴….

타인의 관심과 사랑을 신뢰하지 않던 윌의 굳은 마음이 마침내 녹아내린 것이다. 네 잘못이 아니라는 말 안에는 어린 시절 양아버지에게 심한 폭행을 당한 것이 결코 자신이 사랑 받을 자격이 없어서이거나 하찮은 존재여서가 아니라는 의미가 담겨 있다. 숀은 윌이 스스로 자기 자신의 가치를 폄하하지 않도록 진심으로 윌의 잘못이 아니라는 것을 말해주고 싶었을 것이다.

사람과 사람의 마음이 만나는 데 진심으로 공감하고 소통하는 것이 얼마나 중요한지 보여주는 장면이다. 누군가의 닫힌 마음을 열게 하고 싶다면, 상대방에 대한 인정과 존중을 담아 급하지 않게, 차분하게 그리고 진심으로 다가가 보자. **서두르지 않는 꾸준함과 기다림에 그의 마음도 서서히 열릴 것이다.**

말보다 관계가
우선입니다
;

<도어 투 도어> : 관계로 소통할 것

"그분은 우리들의 끈이었어요."

<도어 투 도어>는 뇌성마비 장애를 가진 주인공 빌 포터가 인내와 끈기로 기적의 판매 왕이 된 실화를 담아낸 영화다.

잘 걸을 수도, 제대로 말할 수도 없는 그는 인내와 끈기로 매일같이 집집마다 초인종을 누른다. 거절을 두려워하지도 않고 육체적 장애 앞에 굴하지도 않으며 언제나 즐겁게 일하는 모습이 뭉클한 감동을 전해준다. 영업의 핵심 노하우가 고스란히 담겨 있는 영화이다 보니, 영업인들 사이에서는 꼭 봐야 하는 작품으로도 알려져 있다.

이 장에서는 감동의 스토리와 함께 상대방을 설득하고 지갑까지 열게 만드는 마법의 언어술을 익혀보자.

거절은 끝이 아니다

언어 장애와 사지근육마비 증상을 가진 빌에게 취업은 결코 쉽지 않은 일이었다. 생활용품 회사 왓킨스의 인사담당자 역시 면접에서 그를 채용하지 않는다. 거동이 불편하니 샘플 가방을 들고 다닐 수 없을 것 같다는 이유에서였다. 낙심한 표정으로 회사 건물에서 나오던 빌은 밖에서 초조하게 기다리고 있는 어머니의 모습을 마주한다. 그리고 어머니를 실망시키고 싶지 않은 마음에 다시 회사로 들어가서 이렇게 말한다.

"그럼 저에게 제일 힘든 지역을 주세요. 아무도 원치 않는 지역이요. 밑져야 본전이잖아요. 제가 판매를 하면 영웅이 되시는 거고요."

사람들이 가장 꺼려하는 곳, 가장 힘든 지역으로 자신을 보내달라는 것. 자신을 거절한 회사에 바로 새로운 제안을 해본 것이다. 딱히 손해볼 것 없다는 생각에 회사는 빌의 제안을 받아들이고 모두가 회피하는 지역으로 빌을 보낸다. 담당 구역으로 이동하는 시간만 3시간이 걸리지만, 40년이 넘는 세월 동안 그는 날이 좋든, 날이 좋지 않든 상관하지 않고 매일 15킬로미터를 걸었다.

빌은 매일 출근길마다 구두닦이에게 들러 구두를 닦고 신발 끈을 고쳐 맸다. 오른손이 불편해 왼쪽 소매의 단추를 채울 수 없으니 매일 호텔에 들러서 도어맨에게 단추를 채워달라고 부탁한다. 고객을 만나기 위해 옷매무새를 항상 깔끔하고 단정하게 유지하는 것이다.

물론 이렇게 준비한다고 해서 마을 사람들에게 환대를 받는 것도 아니었다. 그가 처음으로 담당 구역의 집들을 방문했을 때 대부분의 사람은 그를 반기지 않았다. 문전박대를 당하기도 했고, 아이를 놀라게 했다며 회사에 항의하는 주민도 있었다. 누군가는 투명인간처럼 대하기도 하고, 또 누군가는 적선하러 온 모양이라며 비웃기도 했다. 이웃들은 서로 다투기 일쑤였고, 거칠고, 산만했다. 왜 누구도 원치 않는 곳인지, 가장 힘든 지역이라고 했는지 알 수 있는 동네였다. 그러나 빌 포터는 포기하지 않는다. 마치 견디는 것 또한 능력이라고 말해주는 듯하다.

사람은 누구나 'NO'라고 거절당하는 것에 대한 막연한 두려움을 가지고 있다. 면전에 대고 누군가 거절을 하면 당연히 기분이 상하고 때로는 상처를 받기도 한다. 자존감이 떨어지고 좌절하기도 한다.

그러나 빌 포터는 거절을 조금 다르게 받아들인다. 그는 사람들의 거절을 자신의 제안에 수정할 사항이 있는 것으로 이해했다. 그래서 그는 거절을 당했다고 해서 돌아서거나 상처입지 않고, 오히려 다시 방문해 다른 상품을 제안하거나 다른 방식으로 제안하는 방식을 취한 것이다.

"거절은 제안을 수정해 달라는 요구다."

그의 대사를 통해 거절에 대처하는 지혜를 배울 수 있다. 거절을 끝이라고 생각하지 말자. 두려워서 숨거나 도망칠 필요도 없다. 어떤 상황에서든 그처럼 긍정적으로 해석할 수 있다면 누군가의 마음을 한 번 더 두드릴 수 있을 것이다.

인간이 가진 가장 우아한 무기를 갖추라

빌 포터의 이야기는 그의 가장 오랜 친구인 셸리 브레이디에 의해 책으로도 소개됐다. 셸리는 몸이 불편한 빌 포터의 배달 업무와 집안 가사를 돕기 위해 고용된 비서였지만, 오랜 세월 함께하며 친구이자 가족처럼 지낸 사람이다. 그녀는 빌 포터를 곁에서 지켜보며 그에게 배워야 할 삶의 지혜를 책을 통해 소개한다. 신체적 장애 앞에 결코 좌절하지 않고 긍정적인 생각을 포기하지 않았던 그의 순간들을 기록한 것이다.

빌과 셸리가 처음 만난 날, 셸리는 빌에게 무슨 병이냐고 묻는다. 그러자 빌은 대수롭지 않게 웃으며, 진지한 답변 대신 유머러스한 답변을 선택한다.

"뇌성마비예요. 출산 중에 의사가 겸자로 내 머리를 으깼거든요. 전염되지는 않아요."

유머 감각이 뛰어난 사람은 어디서나 인기가 좋다. 왜일까? 웃음이 사람에게 기쁨을 주기 때문이다. 유머는 상대방에게 호감을 이끌어낼 수 있는 강력한 무기다. 스탠포드 의대 윌리엄 프라이 박사는 수십 년간 웃음과 건강의 관계를 연구했다. 그의 연구 결과에 따르면 사람은 웃을 때 뇌하수체에서 엔도르핀이 나와 기쁨을 느낄 뿐 아니라 스트레스 호르몬인 코티졸의 양은 줄어들어 분노와 긴장감이 완화된다고 한다.

또 정신분석학자인 지그문트 프로이트도 '유머는 유아기의 놀이적 마음 상태로 돌아가게 만드는 어른들의 해방감'이며, 심리적 긴장을 완화시킬 수 있는 '인간이 가진 가장 우아한 무기' 중 하나라고 말했다. 사람은 함께 웃을 때 서로 조금 더 가까워진다. 그러니 상대방의 마음을 가장 우아한 방식으로 열고 싶다면 유머를 사용하라.

그런데 문제는 유머를 사용하는 것이 쉽지 않다는 데 있다. 애석하게도 글로는 가르칠 수도 배울 수도 없는 일이다. 유머는 타이밍이기 때문이다. 이론이 아니라 감각이다. 그래서 유머를 사용하고 싶다면 유머 감각을 키우는 것이 먼저여야 한다. 유머를 배워보겠다며 이론을 찾아 헤매는 순간, 당신의 유머는 아재 개그의 덫에서 헤어나오지 못할 것이다.

'행복해지기 위해서는 행복한 사람 곁으로 가야 한다.'라는 서울대 최인철 교수의 주장처럼 유머 감각을 깨우고 싶다면 유머 있는 사람 곁으로 가야 한다. 재미있는 사람과 자주 대화하는 것만으로도 잠들어 있는 유머 감각은 서서히 깨어날 것이다.

주변에 특별히 재밌는 사람이 없다면 코미디 방송 프로그램을 활용하자. 생각지도 못한 순간, 대반전의 스토리로 우리를 배꼽 잡게 해주는 방송인들이 많이 있다. 그들은 웃음 유발자들이며 유머 전문가다. 유머 고수들의 타이밍과 그들이 사용하는 유행어, 멘트 등을 공부해보겠다는 마음가짐으로 시청하고 따라하다 보면, 어느새 당신도 누군가의 마음을 무장해제 시킬 수 있는 가장 우아한 무기를 갖게 될 것이다.

빌 포터의 영업 노하우 7가지

다음은 〈도어 투 도어〉를 통해 발견할 수 있는 빌 포터의 영업 노하우들이다. 영업자라면 꼭 기억해두기를 바란다.

1) 고객과 만남의 횟수를 늘릴 것

관계를 만들기 위한 가장 좋은 방법은 계속해서 만나는 것이다. 어제는 초면이었어도 오늘은 구면이 되는 법. 만나다 보면 아는 사람이 되고, 시간이 더 흐르면 친한 사람이 될 가능성이 높아진다. 자주 만나는 사람과 가장 최근의 근황이 공유되고 자연스럽게 친해진다는 것을 명심하자.

2) 고객의 니즈를 빠르게 파악할 것

빌 포터는 고객에게 관심이 많았다. 그렇기에 그가 무엇을 필요로 하는지 빠르게 파악하고 그에 맞는 적절한 상품을 제안할 수 있었다. 만나는 사람에게 모두 똑같은 상품을 제안하는 것이 아니라 그들의 직업, 가족 구성원 등에 따라 맞춤형으로 상품을 권하니 인기가 많을 수밖에.

3) 만나는 모든 사람을 고객으로 볼 것

그는 교통사고를 당해 병실에 누워 있을 때에조차 영업을 멈추지 않았다. 같은 병실을 쓰는 환자에게 세제를 소개한다. 자신이 소개할 수 있는 상품과 상대방을 연결하려는 열정이 지속되다 보니, 이제는 나의 담당 지역에서 만나는 사람이 아니라 어느 곳에서 누구를 만나도 그를 잠재적 고객으로 판단하는 것이다.

4) 유머 감각으로 고객을 즐겁게 해줄 것

유머는 빠른 시간 안에 사람들 사이의 거리를 좁혀준다. 빌은 늘 재미있는 이야기를 준비해서 사람들을 만날 때마다 그들에게 웃음을 선물했다. 그리고 친밀감을 얻어냈다. 친밀감은 곧 관계가 되었고, 관계는 곧 판매로 이어졌다.

5) 지나가는 말도 귀담아들을 것

빌이 식사를 하던 레스토랑에서 어느 종업원이 자신의 손이 거칠어졌다며 불편함을 호소한다. 빌은 그 말을 허투루 듣지 않고 그들에게 도움을 줄 핸드크림을 가져와 종업원들에게 소개한다. 그리고 마침내 자신의 고객으로 만드는데 성공한다. 언제 어디에서든 나의 제품을 필요로 하는 사람이 있는지 귀를 쫑긋 기울이고 있었기에 가능한 일이었다.

6) 상품을 소개할 때는 확신에 찬 어조로 간단하게 말할 것

고객은 길고 지루한 설명을 좋아하지 않는다. 구구절절한 이야기를 인내심 있게 들으며 기다려줄 고객은 많지 않다. 그들은 오직 이 상품이 자신에게 필요한지, 어떤 도움을 주는지가 궁금할 뿐이다. 확신에 찬 어조로, 간단하게 소개하면 상품에 대한 신뢰도는 더 올라갈 것이다.

7) 고객의 고민을 좁혀줄 것

선택 장애에 걸린 고객이 생각보다 많다. 그렇기 때문에 그들은 판매원의 추천을 귀 기울여 듣는다. 처음 방문한 레스토랑에서는 종종 종업원에게 추천 메뉴가 무엇인지 묻기도 한다. 추천을 받고 나면 고민의 폭은 좁혀지고 선택은 빨라진다.

빌도 이런 표현을 많이 사용한다.

"장담해요, 이걸 써봐요."

"솔직하게 말씀 드릴까요? 제 경험상 제일 권하고 싶은 제품은 이거예요."

어떤가, 제품이 궁금해지는가?

인적 네트워크를 형성하라

왓킨스로 면접을 보러 가던 날, 빌의 어머니는 넥타이를 손수 매주고 옷매무새를 가다듬어주며 아들에게 당부의 말과 응원의 말을 잊지 않는다.

"남들에게 호감을 얻기까지 시간이 좀 걸릴 거야. 인내심을 가져. 인내와 끈기! 아주 잘 해낼 거야."

그녀는 빌이 점심으로 먹을 샌드위치의 앞뒷면에 케첩으로 '인내'와 '끈기'라고 적어놓기도 한다. 어머니가 강조한 두 단어의 힘 덕분인지 빌은 정말 인내하고 끈기를 가지는 모습을 보인다. 마을 사람들이 자신을 문전박대하고 거절해도 그는 성실하고 꾸준한 모습으로 그들의 일상 속으로 들어가 관계를 맺기 시작한 것이다.

남편의 외도 현장을 어린 딸아이와 함께 보게 될지도 모를 한 부인을 위해 딸아이를 다른 곳으로 데리고 가겠다며 눈치껏 도와주기도 하고, 헤어진 커플을 다시 이어주기도 한다. 이웃과 이웃의 갈등을 풀어주고 서로 연결하는 다리 역할을 하며 그들의 삶을 함께 살아낸다. 그렇게 시간이 흐르자, 그는 드디어 왓킨스 사의 판매 왕으로 선정된다.

수많은 영업의 달인은 말한다. 물건을 팔기 전에 자신을 먼저 팔아야 한다고. 자신이 먼저 썩 괜찮은 사람으로 보이는 것과, 고객이 마음을 여는 것이 중요하다는 뜻일 게다.

보험이나 자동차, 화장품, 생활용품 등 주위에 판매 영업을 하는 지인이 한 명씩은 있게 마련이다. 소비자는 비용을 지불하는 만큼 손해 보지 않고 좋은 가격에 원하는 상품을 잘 구입하고 싶어 하기에, 자신과 친분이 있는 사람이 그런 종류의 도움을 주리라는 믿음을 가지고 있다. 지인 덕으로 할인을 받거나 서비스를 받을 수 있기를 기대하는 것이다. 이것이 소비를 하는 사람들의 기본적인 심리다. 그렇다면 영업에서 중요한 핵심이 무엇이겠는가? 제품인가, 아

니면 관계인가!

은퇴를 한 빌에게 어느 날 기자가 찾아온다. 그리고 그 기자는 아주 오래 전, 빌 때문에 놀라서 울었던 그 마을의 꼬마가 바로 자신이라고 소개한다. 기자는 빌의 이야기를 기사로 쓰고 싶다며 인터뷰를 요청한다. 그리하여 빌의 이야기는 세상에 알려진다. 빌이 마을 사람들과 어떤 관계를 만들었는지, 어떤 존재였는지 기자의 글을 통해 알 수 있게 된다.

"그 분은 끈이었습니다.
우리 마을의 보이지 않는 끈…
누가 죽었고, 누가 이사를 했으며, 누가 결혼을 했는지 알려주는…
우릴 하나로 묶어주고 소식을 전하는 끈."

만약 당신도 판매영업 분야에 종사하고 있다면, 상품을 팔기 위해 애쓰지 말라. 그보다는 빌처럼 사람과 사람 사이의 연결고리가 되는 것이 더 좋은 성과를 가져다줄 것이다.

설득의 법칙 중 미리주기 전략이라는 것이 있다. 누군가에게 본인이 먼저 베풀고 미리 도움을 준 후, 훗날 본인이 필요한 시점에 도움을 요청하는 전략이다. 이 전략이 효과적인 이유는 실제로 도움을 받았던 사람에게는 다시 도움을 줘야 한다는 보답의 압박이 작용하기 때문이다.

인적 네트워크를 통한 인간 플랫폼 시대에 가장 큰 재산은 두 말할 필요 없이 사람이다. 사람에게 사람을 연결해주는 것이 가장 큰 힘이요, 선물이 될 것이다. 그리고 가장 큰 선물을 받은 사람은 틀림없이 당신에게 도움을 주려고 할 것이다. 기억하라. 하수는 팔려하고 고수는 사게 한다.

스토리는
사람을
끌어당깁니다
;

〈박사가 사랑한 수식〉: 관심 분야로 시작할 것

"자네는 신발 사이즈가 몇인가?"

〈박사가 사랑한 수식〉은 교통사고로 인해 기억을 80분밖에 유지하지 못하는 주인공이 세상의 모든 것을 수학과 연관지어 이야기하는 영화다.

특별히 할 말이 없는 상황 속에서 주인공이 항상 화젯거리로 삼는 것은 다름 아닌 숫자. 오직 그것만이 자신의 관심분야이기 때문이다.

일상에서 대화를 할 때, 혹은 많은 사람 앞에서 스피치를 할 때 어떤 말로 시작해야 할지 고민이 되는 경우가 종종 있다. 그렇다면 영화 〈박사가 사랑한 수식〉이 팁을 알려줄 것이다.

단언컨대 영화 속 박사님에게 수학을 배웠다면, 절대 수학을 포기하는 일은 없었을 것이다. 나는 문과생이 도대체 미분 적분을 왜 배워야 하느냐며 수학에 대한 희망을 일찌감치 포기한 탓에 수학은 늘 평균을 깎아먹는 과목이었다. 그러나 숫자에 이토록 아름다운 의미가 있는 줄 알았더라면, 아마 수학을 대하는 태도는 많이 달랐을 것 같다. 예전의 나처럼 "나는 숫자에 좀 약한데…."라며 자신없어 하는 모든 이들에게 꼭 추천해주고 싶은 영화다.

일본 작가 오가와 요코의 원작 '박사가 사랑한 수식'을 영화로 재탄생시킨 이 작품은 일본 영화답게 전체적으로 차분하고 잔잔하게 전개되지만, 그 안에는 강력하게 끌어당기는 흡입력이 있다. 그것은 아마도 루트 선생이 들려주는 이야기 덕분일 것이다. 이야기가 가지는 힘이 얼마나 강력한 것인지는 영화의 첫 장면부터 느낄 수 있다.

영화는 신학기를 맞은 한 교실의 수학시간으로 문을 연다. 앞으로 수학을 가르칠 선생님의 별명은 루트. 루트는 자신이 왜 수학 기호 중 하나인 루트로 불리게 됐는지, 그리고 어떻게 해서 수학을 가르치게 되었는지 자신의 지난 이야기를 들려준다.

루트라는 이름을 만들어준 사람은 영화 속 주인공인 박사다. 숫

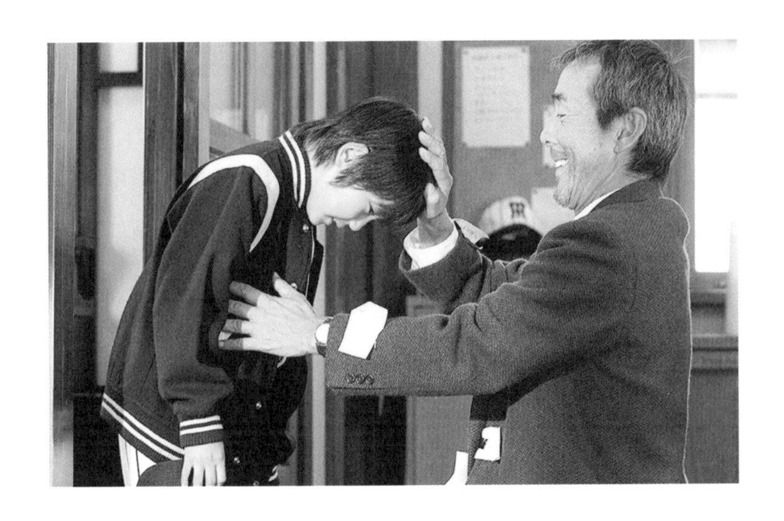

자와 수식을 사랑하는 천재 수학자인 그는 루트와 처음 만난 날, 루트의 머리를 쓰다듬으며 정수리가 수학 기호인 루트처럼 판판하다며 루트라는 별명을 붙여줬다. 박사는 이렇게 모든 것을 숫자와 수식을 연관지어 말할 정도로 수학에 대한 남다른 애정을 지닌 천재 수학자다. 그러나 그의 기억력은 오직 80분뿐이다. 사고로 인해 기억력 장애를 앓고 있기 때문이다.

그는 사고가 일어나기 전의 일은 모두 기억하나, 사고가 일어난 이후부터는 80분 단위로만 기억한다. 80분 후에는 80분 전의 기억이 모두 리셋 되니, 하루에도 몇 번씩 같은 것을 설명해야 하고, 반복해서 말해야 한다. 그리고 내일이 되면 오늘 있었던 일은 아무것도 기억하지 못한다.

박사에게는 가정부와의 만남도, 그녀의 아들 루트와의 만남도 날마다 새롭다. 그렇기 때문에 그에게 지나간 일을 말하는 것은 금기사항이다. 아무것도 기억하지 못하기에 어제 있었던 일에 대해 듣게 되면 자신의 기억력에 이상이 있음을 깨닫고 괴로워하기 때문이다. 그래서 가정부 쿄코와 루트는 박사가 똑같은 질문을 해도 늘 처음 듣는 것처럼 반응하자고 약속하며 박사의 이야기를 들어준다.

박사의 이야기 주제는 늘 숫자와 수식이다. 평소 좋아하지도 않고 관심도 없었던 분야임에도 점점 더 몰입하게 된 것은 스토리텔링 기법의 힘일 것이다. 이 영화를 보면서 이야기의 힘이 얼마나 강력한지 느낄 수 있다.

가장 잘 아는 관심 분야로 시작하라

쿄코는 매일 아침, 자신을 기억하지 못하는 박사에게 자신을 새로 온 가정부라고 소개하고, 박사는 쿄코에게 매일 똑같은 질문을 한다. 질문은 모두 자신이 가장 관심 있어 하는 숫자와 관련되어 있다.

교코 안녕하세요. 새로 온 가정부입니다.

박사 자네 신발 사이즈는 몇인가?

교코 (어리둥절하며) 24입니다.

박사 24. 참으로 고결한 숫자군, 4의 계승이다. 전화번호는 무엇인가?

교코 576-1455번입니다.

박사 굉장하군. 1부터 1억까지의 사이에 존재하는 소수의 개수와 같다니….

대화만 살펴봐도 숫자에 대한 남다른 관심과 사랑이 느껴진다. 이처럼 자신이 관심을 가지고 있으며 잘 아는 분야를 이야기할 때 사람들의 눈에서는 빛이 난다. 생동감마저 느껴진다. 영화 속 박사도 마찬가지다.

만약 어떤 상황에서 무슨 말을 해야 할지 모르겠다면 박사처럼 자신이 가장 좋아하고 잘 알고 있는 관심 분야로 시작해보기를 권한다. 분명 듣는 사람을 매료시키는 마성의 스피치를 시작할 수 있을 테니 말이다. 청중은 귀를 쫑긋 세우고 집중해줄 것이다.

영화는 어떤 대상을 향한 애정에 대해서도 이야기하고 있지만, 나는 '수학'이라는 어렵고 지루할 수 있는 소재로 사람들을 초대하는 스토리텔링에 주목했다. 사람들은 이야기를 좋아한다. 그것이 가장 구체적으로 상상하도록 돕기 때문일 것이다. 우리가 남들 앞에서 말할 때도 이 점을 기억해야 한다. 내가 하는 말에 사람들이 집중하고 몰입하도록 돕는 몇 가지 방법을 소개한다.

1) 이야기로 리드할 것

이야기가 인간을 무방비 상태로 만들어 가장 깊숙한 신념까지 바꾼다는 사실을 알고 있는가? 그것이 바로 이야기가 가진 힘이다.

만약 이 영화가 '계승이란, n이 하나의 자연수일 때, 1에서 n까지의 모든 자연수의 곱을 n에 대하여 이르는 말이다.'라고 소개했다면, 난 이 영화 보기를 포기했을 것이다. 소수, 우애수, 무리수, 오일러의 공식 등을 이론만 설명했다면 집중할 수 없음은 물론이고, 기억에 남는 것은 아무것도 없었을 것 같다.

그러나 영화는 루트가 왜 루트라고 불리게 됐는지, 어쩌다 수학을 사랑하게 됐고 교단에까지 서게 되었는지 그 이야기로 먼저 시작한다. 이후 계승에 대한 박사님과의 스토리, 소수에 관한 스토리,

우애수 스토리 등을 하나씩 각각 들려주며 청중들의 관심과 집중력을 높여준다.

영화에서 수학의 개념을 소개하는 방식은 새롭다. 이론이 아닌 이야기다. 그중 몇 가지를 나눠보고자 한다. 학창 시절에 들었던 설명은 잠시 접어둬도 좋다.

- 계승에 대한 설명

1				=1
1	2			=2
1	2	3		=6
1	2	3	4	=2 4

"계승의 '계'는 계단의 '계', '승'은 곱셈을 말하는 것이다. 자연수라고 하는 것은 1,2,3,4…… 무한히 계속되는 정수를 말하지. 1, 2, 3, 4를 모두 곱하면 24. 다시 말해서 4의 계승은 24. 자, 그럼 5의 계승이 몇인지 아는 사람? 답은 120이다."

- 소수에 대한 설명

"소수의 '소'는 곧을 직, 아무것도 더해지지 않은 본래의 자신이란 뜻입니다. 즉, 1과 자신 이외에는 나눠 질 수 없는 수. 예를 들자면 2, 3, 5, 7, 11, 13, 17, 19, 23, 29……. 이 소수는 밤하늘에 빛나는 별과 같이 한없이 존재합니다. 나타나는 방식은 그 어떤 법칙에도 해당되지 않아요. 나는 여기 독립자존. 여러분 한 명 한 명과 같이 only one인 것입니다. 뭐라 말할 수 없이 깨끗하고 타협하지 않는 … 고고함을 지켜나가는 숫자. 박사님이 이 세상에서 그 무엇보다 사랑한 것이 이 소수입니다. 아무리 괴팍한 숫자라도 박사님의 사랑하는 방법은 정통파였습니다. 상대에게 자애롭고 보상 없이 최선을 다하고 존중하는 마음을 잃지 않는. 그래서 언제나 숫자 옆에서 떨어지려 하지 않았습니다."

어떤가, 수학이 이처럼 아름다울 수 있다는 사실을 새삼 깨닫게 되었는가. 이야기는 인간을 진화시켜 온 생존도구라고도 말한다. 수만 년 전, 들소를 때려잡고 조개를 긁어 모으던 호모 사피엔스도 시간이 생기면 서로 모여 앉아 이야기를 들려주었다고 한다. 오늘날 우리는 영화와 소설과 드라마가 허구인 줄 알면서도 깊게 빠져든다. 인류는 이야기와 함께 진화해왔다고 해도 과언이 아닐 것이다.

그러니 말에 스토리를 불어넣어라. 이론을 설명하지 말고 이야기로 말해라. 청중은 분명 즐거이 스피치에 빠져들 수 있을 것이다.

2) 큰따옴표 기법을 활용할 것

영화가 이야기 속 이야기로 구성된 액자식 구성이듯, 스피치에서도 액자식 구성을 할 수 있다. 나는 이것을 '큰따옴표 기법'이라고 부른다.

학창시절 국어시간에 큰따옴표, 작은따옴표가 어떻게 쓰여야 하는지 배운 적이 있을 것이다. 자신이나 상대방이 실제로 소리 내서 한 말을 그대로 생생하게 옮길 때는 큰따옴표, 회상하거나 혼자만의 생각을 표현할 때는 작은따옴표 안에 담는다. 이때 생동감이 느껴지는 것은 큰따옴표다.

실제로 이야기를 전달하는 상황에서도 그 당시 있었던 일을 그 사람의 말투와 표정, 사용했던 단어를 그대로 생생하게 표현하면 전달력은 훨씬 더 높아진다. 그리고 텍스트만으로는 전달되지 않는 현장의 분위기와 디테일한 뉘앙스까지 함께 전달되면서 몰입도가 높아질 수 있다.

A　옆 차선에 있던 그 사람은 창문을 내리더니 저에게 무례한 말들을 쏟아냈습니다.

B　옆 차선에 있던 그 사람은 창문을 내리더니 제게 이렇게 말하더군요. "이봐! 운전 똑바로 못 해?"

A와 B를 비교해보자. 실제 강연장에서 보다 흥미진진하고 집중력이 높아지는 것은 아무래도 A보다는 B일 수밖에 없다. 큰따옴표 기법 안에는 사실을 있는 그대로 객관적으로 전달한다는 전제가 깔려 있다. 그래서 이 기법은 듣는 이로 하여금 흥미는 물론 신뢰감까지 생기게 하는 것이다.

그런데 사실, 내 주위에 큰따옴표 기법을 아주 잘 사용하는 달인이 한 명 있다. 바로 우리 엄마다. 엄마는 언제나 몸짓과 성대모사까지 섞어가며 하루에 있었던 일들을 생생하게 말한다. 그래서 엄마와 대화를 나누고 나면 옆집 아주머니가 얌체인지, 슈퍼 아주머니가 푼수인지, 미용실 아주머니가 의리가 있는지 등을 금세 파악할 수 있다. 엄마의 이야기를 듣는다는 것은 늘 그 현장에 같이 있었던 것이나 다름없기 때문이다.

3) 새로운 관점으로 의미를 부여할 것

자신의 전문 분야라 할지라도 새로운 관점으로 바라보며 많은 생각을 할 때 통찰력이 길러진다. 심오한 지식과 기대 밖의 새로운 통찰력은 사람을 매료시키는 힘이 있다. 영화에서는 박사의 한마디 한마디가 그러하다. 박사의 대사는 차라리 모든 것이 메시지에 가깝다. 어떤 명언들이 있었는지 잠시 소개하겠다. 일상에서 써먹을 수 있다면 마음껏 써보길 바란다.

"누구보다 먼저 진실에 도달하는 것은 중요하지만, 그것보다도 증명이 아름답지 않다면 아무런 의미도 없지. 정말로 올바른 증명은 한 치의 틈도 없는 완전한 강함과 유연함이 모순 없이 조화로운 것이지. 왜 별이 아름다운 건지 누구도 증명하지 못하는 것처럼 수학의 아름다움을 표현하는 것도 어려운 일이지만 말이야."

"너는 루트다. 어떤 수도 마다 않고 자신 안에 감싸주지. 실로 관대한 기호 루트다. 어떤 이에게나 공정히 우정을 나눠줄 수 있는…."

"수학과 가장 가까운 직업은 농업이야. 땅을 선택하고 갈고, 씨를 뿌리고 키우지. 수학자도 필드를 고르고 씨를 뿌린 후엔 열심히 보살피기만 할 뿐. 자라는 힘은 씨앗에게 있는 거니까."

"문제에는 리듬이란 것이 있단다. 소리를 내서 읽으며 그 리듬을 탄다면 문제 전체를 바라보는 것도 가능하고, 함정이 숨어 있을 법한 의심스런 곳도 짐작할 수 있게 된다."

영화의 마지막에서는 '수학자들이 뽑은 가장 아름다운 공식'으로 선택된 적이 있는 '오일러의 공식'이 소개된다. 결국 박사가 사랑한 수식은 바로 이 오일러의 공식이 되는 것. 박사가 사랑한 오일러 공식의 모양부터 살펴보자. 수학과 친하지 않은 내게는 차라리 그림에 가까운 공식이다.

$$e^{ix} = \cos x + i \sin x$$

$$e^{i\pi} + 1 = 0$$

한 포털사이트 지식백과에서는 오일러의 공식에 대해 아래와 같이 설명한다.

> 오일러의 공식은 오일러의 수를 밑으로 하는 지수 함수와 코사인 사인 함수 사이의 관계를 서술한 공식이다. 이 공식에서 변수에 π를 대입하면 수학에서 중요한 여러 상수와 연산이 등장하는 간단한 식이 된다.

갑자기 이 책을 덮고 싶지 않은가? 나는 역시나 수포자(수학을 포기한 자)답게 도저히 알아들을 수 없는 설명이다. 그러나 다음의 이야기를 듣고 나면 이 공식이 마법처럼 아름답게 보이면서 삶의 이치를 담고 있는 듯한 느낌까지 받게 된다. 내게 수학의 흥미를 불어

넣어준 루트 선생님의 설명은 아래와 같다.

"파이는 원주율, 알고 있죠? 3.1415926535……. i도 -1의 제곱근으로서 허수. 우주의 끝에서 끝까지 계속되는 수와 결코 정체를 드러내지 않는 허수 i, 성가신 것은 바로 e입니다. e는 영국의 수학자 존 네피어로 말미암아 '네피어 수'라고 불립니다. 네피어 수는 수학에서 무엇보다 중요한 정수의 하나입니다. 지금은 결론만을 말하겠습니다. 이 e를 계산해 보면 그 값은 2.7182818284……. 이건 π와 같아 한없이 계속되는 무리수입니다.

무한한 우주로부터 π가 e의 품으로 내려앉습니다. 그리고 부끄럼쟁이 i와 악수를 합니다. 그들은 몸을 가까이 하고 가만히 있습니다. e도 i도 π도 서로 연관성이 없어요. 하지만 한 사람의 인간이 단 한 가지, 더하기를 하면 세상은 바뀝니다. 모순되는 것들이 통일이 되어 제로. 요컨대 '무'로 끌어안게 됩니다.

$$e^{i\pi}+1=0$$

이것은 18세기 최고의 수학자 레온하르트 오일러가 짜낸 공식입니다. 무관계로밖에 보이지 않는 수의 사이에서 이토록 자연스러운 연결성을 발견한 것입니다. 이건 마치 어둠 속에 빛나는 한줄기 아름다운 유성과도 같죠. 이것이 박사님이 사랑한 수식입니다. 밤하늘에 빛나는 별 하나의 아름다움, 들에 핀 한 송이 꽃의 아름다움! 그런 것들을 설명하기 어려운 것처럼 이 수식의 아름다움을 설명하는 것도 어려운 것이죠. 하지만 박사님은 느끼는 것이 중요하다고 가르쳐 주셨습니다. 여러분도 직감을 갈고 닦아서 풍부한 감성을 키워주세요. 이 아름다움은 반드시 느낄 수 있습니다. 그렇기 위해서라도 수학에 애정을 갖고 함께 노력해주길 바랍니다."

어떤가? 오일러의 공식이 조금 더 머리에 들어오는가? 수학에 조금 더 관심이 생기는가? 완전히 새로운 관점으로 바라봤을 때 우리는 새로운 의미를 부여할 수 있다. 그리고 사람들은 이처럼 새로운 해석에 매료되게 된다.

똑같은 단어를 놓고 그 정의를 내려 보라고 하면 사람들은 모두 다른 표현을 사용한다. 누군가의 말은 지루하고, 누군가의 말은 재미있고, 누군가의 말은 감탄사를 불러일으킨다.

영화는 스티브잡스에게 영감을 불어넣어줬다는 천재 예술가 윌리엄 블레이크의 시 〈순수의 전조〉의 서두로 마지막을 장식한다. 그의 시처럼 한 알의 모래에서도 세계를 보고, 찰나의 순간을 통해 영원을 볼 수 있는 통찰이 길러지기를 바란다.

한 알의 모래에서 세계를

한 송이 들꽃에서 천국을 본다.

그대, 손바닥에 무한을 쥐고

찰나의 순간을 통해 영원을 보라.

질문을 하면

마음이 열립니다

;

<매디슨 카운티의 다리> : 질문으로 연결할 것

"고향은 어디에요? 물어봐도 괜찮을까요?"

처음 만난 사람과 단둘이 있는 상황에서는 무슨 말을 해야 할까? 생각만 해도 적막감이 감도는 듯하다. 그 시간이 어렵지 않은 사람도 있지만, 불편하고 어색해서 어쩔 줄을 몰라 고민하는 사람이 훨씬 많다. 내성적이고 말수가 없는 사람일수록 고민은 더 깊다. 심지어 "직장 상사분과 있을 때 아무 말도 안 해서 오해를 많이 받았습니다." 하는 하소연을 하기도 한다. 무슨 말을 해야 할지 몰라서, 또는 적합한 말이 생각나지 않아서 가만히 있었을 뿐인데 이런 태도가 오해를 받는다면 정말 억울할 것이다.

본인은 할 말이 없어 가만히 있는 것이라 해도 상대방은 전혀 다르게 느낄 수 있다. '이 사람은 나랑 말하기가 싫은가?' 혹은 '오늘 기분이 별론가?' 하며 왠지 모르게 눈치를 보게 된다. 이런 침묵의 시간이 길어지면 묘한 긴장감까지 흐른다. 그 긴장감을 깨기 위해 누군가는 말을 시작해야 한다. 그렇다면 과연 어떻게 시작하는 것이 좋을까? 그 힌트를 영화 〈매디슨 카운티의 다리〉에서 얻을 수 있다.

질문만 잘해도 대화는 계속된다

〈매디슨 카운티의 다리〉는 클린트 이스트우드 감독의 영화로, 본인이 직접 남자 주인공을 연기하며 메릴 스트립과 호흡을 맞춘 멜로 영화다. 남녀 할 것 없이 몇 시간을 펑펑 울었다는 후기가 유난히도 많이 보였던 영화! 원작은 로버트 제임스 월러의 동명 소설이다.

영화는 자신이 죽으면 화장해서 로즈먼 다리 위에 뿌려달라는 여자주인공 프란체스카의 유언으로 시작한다. 프란체스카는 자신이 왜 로즈먼 다리 위에 뿌려져야 하는지 설득하기 위해 자신이 숨겨온 나흘간의 사랑의 기록들을 자식들에게 공개한다. 아들은 처음에는 어머니의 외도를 받아들이지 못하지만, 글을 읽을수록 어머니와 로버트, 두 사람의 애절함과 사랑의 깊이를 마주하게 되고,

사랑의 의미 또한 다시 생각해보게 된다.

프란체스카는 작은 시골 마을 아이오와에서 농사일을 하며 살고 있는 평범한 가정주부다. 어느 날, 아이들과 남편은 나흘의 일정으로 집을 떠나고, 프란체스카는 집 앞에서 길을 잃은 사진작가 로버트와 마주하게 된다. 로즈먼 다리를 찾는 그에게 프란체스카는 열심히 길을 설명해보지만, 이정표가 제대로 설치돼 있지 않은 시골길을 설명하는 것이 쉽지 않아 목적지까지 동행해주기로 한다.

모르는 사람과 차 안에 단둘이 있을 때는 공기조차 무겁게 느껴질 수 있다. 다행히 로버트가 먼저 말을 건네 온다.

로버트 아이오와에는 향기가 있죠 .전원 특유의 향기가 있습니다. 무슨 말인지 아시죠?

프란체스카 아뇨.

로버트 설명하긴 힘들지만, 땅이 좋아서 그런가 봅니다. 그 어떤, 비옥하고, 살아 있는 듯 느껴지고…. 이 향기가 안 느껴져요?

프란체스카 살고 있어서 모르나 봐요.

로버트 그렇겠죠. 향기가 아주 좋습니다.

프란체스카 워싱턴 출신인가요?

로버트 20대 중반까지 살다가 시카고로 가서 결혼을 했죠.

프란체스카 언제 다시 돌아갔죠?

로버트 이혼 후에요. 결혼한 지는 얼마나 됐나요?

프란체스카 (손가락으로 계산해보는 척하더니 웃으며) 오래됐죠.

로버트 오래라…. 고향은요? 물어봐도 괜찮을까요?

프란체스카 괜찮아요. 전 이태리에서 태어났어요.

로버트 이태리요? 이태리에서 아이오와라…. 이태리 어디쯤인가요?

프란체스카 동쪽에 있는 조그만 마을이죠. '바리'라고, 아마 모르실 거예요.

로버트 바리? 아는 곳입니다.

첫 만남에 어색할 수 있는 두 사람은 서로 질문을 하며 대화를 이어나간다. 대화는 끊일 줄을 모른다. 오히려 더 흥미진진해진다. 상대방이 더 궁금해지고, 자연스레 공감대도 형성된다. 관계가 깊어진다는 증거다. 이렇게 질문만 잘해도 대화는 계속될 수 있다. 앞으로는 할 말이 없는 순간일지라도 그들처럼 질문으로 시작해보자. 서로의 어색한 침묵을 편안한 분위기로 이끌어줄 것이다.

마음을 두드리는 7가지 질문법

질문에도 기술이 있다. 어떤 방법으로 잘 질문해야 대화가 잘 이어질 수 있을지 다음 7가지 질문법에 주목하자.

1) 스몰 토크로 시작할 것

어색한 상황에서 상대방에게 하는 첫 질문은 로버트처럼 가볍게 공감이나 호응을 끌어낼 수 있는 정도면 된다. 진지하고 무거운 것보다 사소하고 무난한 소재가 좋다. 둘 사이의 어색한 분위기를 깰 수 있는 화제로는 날씨 이야기, 취미 이야기, 함께 있는 공간에 대한 이야기, 현재의 소감 정도 등이 있다. 무엇이든 좋으니 함께 공유할 수 있는 내용으로 시작해보면 된다.

"날씨가 참 좋네요. 저는 이렇게 바람이 살짝 부는 날이 좋더라고요. ○○○ 님은 어떠세요?"

"이 식당 느낌이 참 좋네요. 인테리어, 서비스, 음식 다 맘에 들어요. 이곳은 어떻게 알게 되셨어요?"

2) 개방형으로 질문할 것

질문은 크게 폐쇄형 질문과 개방형 질문으로 나뉜다. 폐쇄형 질문은 말 그대로 닫힌 질문이다. 상대방이 질문을 받았을 때 '예' 또는 '아니오'로밖에 대답할 수 없게 만든다. 단답형으로 답하게 되는 질문 유형으로 "여기 마음에 드시죠?" "오늘 즐거우셨어요?" "주말 잘 보내셨어요?" 등과 같은 질문이다. 이런 경우 그저 "예." 혹은 "아니오."라고 대답한 뒤 더 이상 아무 말도 하지 않을 수 있으므로, 대화를 이끌어내기 위해서는 개방형 질문이 더 좋다. (물론 때에 따라서는 상대방을 설득하기 위해 단답형의 답변을 유도하는 것이 전략적으로 필요할 때도 있다.)

개방형은 열린 질문이다. 상대방의 의견을 충분히 들어볼 수 있는 형태로 "여기 분위기 어때요?" "오늘 어떠셨어요?" "주말은 어떻게 보내셨나요?" 등과 같은 것이 있다. 이런 질문에는 상대방이 조금 더 자유롭고 구체적으로 대답할 수 있게 된다. 누구든 자신의 이야기를 잘 들어준 사람에게 호감을 느끼게 되는 법이니, 개방형 질문을 던지고 상대방의 의견을 경청해서 잘 들어준다면 좋은 관계를 만들어 나갈 수 있을 것이다.

3) 상대방이 말하고 싶어 하는 것을 질문할 것

상대방이 말하고 싶어 할 것을 찾아서 질문하자. 얼굴은 몇 번 정도 본 사이지만, 대화는 많지 않았던 사이라면 상대방의 달라진 점을 찾아서 이야기를 시작해보는 것도 좋다.

예를 들어 헤어스타일이 달라졌다면, 바뀐 헤어스타일을 칭찬하면서 "헤어스타일 정말 잘 어울리세요. 어디서 하셨어요?" 등과 같은 가벼운 질문으로 이야기를 시작해볼 수 있다. 승진을 했다거나 자격증을 따는 등 최근 상대방이 성취해낸 일이 있다면 그것과 관련해서도 질문하라. 아마 신나게 답변을 해줄 것이다.

상대방의 관심 분야를 물어보는 것도 매우 좋다. 좋아하는 것을 말할 때 사람들은 표정부터 달라진다. 눈빛이 살아나고 얼굴에는 생기가 돈다. 뿐만 아니라, 대화의 분위기 또한 자연스레 좋아지는 것을 경험할 수 있을 것이다.

관심 분야를 알아낼 때는 "취미가 뭐예요?"라는 질문보다는 "쉬는 날 뭐하세요?" "스트레스 받을 때는 어떻게 푸세요?" "좋아하는 게 뭐예요?"와 같이 질문하면 상대방이 더 편안하게 말하는 것을 볼 수 있을 것이다.

4) 유사성의 효과를 이용할 것

사람은 자신과 비슷한 점이 있는 사람에게 더 빨리 친근함을 느낀다. 대화중에 "어? 정말요? 저랑 비슷하시네요! 그럼 이런 부분에 대해서는 어떻게 생각하세요?"라고 대답하며 듣는 분에게는 실제로 마음이 조금 더 빨리 열리고 가까워진다. 상대방에게 공감하는 것이다. 이러한 유사성의 효과를 이용해서 질문을 시도해보자. 상대방과의 비슷한 점을 찾아내거나 공통점을 이용한 질문만으로도 분위기는 조금 더 편안해질 것이다.

5) 긍정적으로 질문할 것

질문에도 긍정문의 형태가 있고 부정문의 형태가 있다. 누구나 긍정문의 형태가 더 좋을 것이라는 생각을 가지고 있지만, 실제로 말하는 습관을 보면 자신도 모르게 부정문의 형태를 쓰는 경우가 많다.

"너 밥 안 먹어?"

"어디야? 오늘 안 와?"

"여기에는 사인을 안 하셨네요?"

이처럼 무의식적으로 부정문의 형태를 많이 사용한다. 그러나 이러한 부정문의 형태는 긍정문의 형태로 바꿔서 질문하는 것이 상대방에게 더 부드럽게 전달될 수 있다.

"너도 밥 먹을 거지?"

"어디야? 잘 오고 있어?"

"여기에 사인하시면 됩니다."

위와 같이 바꿔서 연습해보자.

6) 경청하며 질문할 것

질문할 때 조심해야 하는 점은, 질문에 대한 답변은 귀담아듣지 않으면서 오로지 다음에 질문할 내용만 생각하고 있는 것이다. 이러한 실수는 상대방도 금세 알아차릴 수 있다. 누구든 자신의 이야기를 귀담아듣는 사람에게 더 호감을 느끼게 돼 있다. 그래서 상대방의 말을 이용해서 다시 질문을 하면 귀 기울여 잘 듣고 있는 인상을 건네면서 호감도를 높일 수 있다.

영화 속 두 사람의 대화에서도 경청한 것을 바탕으로 질문하는 장면을 살펴볼 수 있다.

로버트　　일 때문에 그리스에 갔었는데 '바리'를 지나 '벤디지'로 가다가 창밖을 보다 마을이 예뻐서 기차에서 내려 며칠 머물렀죠.

프란체스카　예뻐서 기차에서 내려요?

로버트　　네. 그랬죠.

이렇게 바로 상대방의 말을 이용해서 질문할 수도 있고, 전에 나눈 이야기를 기억했다가 질문할 수도 있다.

7) 배우는 자세로 질문할 것

상대방의 이야기를 더 많이 듣고 싶다면, 상대의 전문 분야에 대해 질문하는 것도 좋은 방법이다. "하시는 일은 어떤 일인가요?"라든가 "와, 정말 멋지시네요. 조금 더 자세히 알려주실 수 있나요?"처럼 상대방을 자연스럽게 추켜세울 수 있다. 단, 주의할 점은 이야기와 관련해서 섣불리 아는 척을 하면 안 된다는 것이다. 반대 의견을 제시하는 것도 추천하지 않는다. 친분이 쌓이기 전에는 이러한 것들이 감정적 대립으로 이어질 수 있다. 질문을 한 뒤, 오로지 학생처럼 배운다는 마음가짐으로 겸손하게 질문하고 경청하는 자세가 필요할 것이다.

마음을 닫게 하는 질문과 답변

마음을 두드리는 질문법을 배워보았다. 반면, 마음을 열기는커녕 꽁꽁 닫게 만드는 질문 혹은 답변도 분명히 존재한다. 어떤 것들인지 살펴보고 지양하는 태도를 취하는 것이 좋겠다.

1) 단답형 답변에 유의할 것

만약 상대방이 먼저 말을 건넸다면 단답형으로 답변하지 말고, 최대한 정성껏 대답하기를 바란다.

A 오늘 날씨가 참 좋은 것 같아요. 어떤 날씨 좋아하세요?

B 글쎄요….

A 주말에는 뭐 하셨어요?

B 딱히….

정말 대답할 말이 없었을 수도 있다. 하지만 아무리 그렇다 한들 단답형 대답은 자칫 잘못하면 오해를 불러일으킨다. B의 태도를 보라. 대화를 하고 싶지 않은 것처럼 보이고 적극적으로 질문한 A마저 맥이 빠지게 만든다. 이처럼 단답형 대답 때문에 상대방이 불쾌해지는 경우가 많다. 가족 사이, 연인 사이, 친구 사이에서도 단답형으로만 대답을 반복하면 말하기 싫은 것으로 생각할 수 있다. 그러니 잘 모르는 사이에서 단답형으로 대답해서 생기는 무뚝뚝한 인상, 불친절한 느낌은 어쩌면 너무 당연하다. 주말에 한 것이 없다면 차라리 이렇게 대답하는 것은 어떨까?

"이번 주말에는 약속도 없고, 그냥 집에 있었어요. 조금 심심하긴 했지만, 그래도 잘 쉰 것 같아요. ○○○ 씨는 어떻게 보내셨어요?"

2) 지나치게 사적인 질문은 삼갈 것

친해지고 싶은 나머지 상대방에게 부담을 주는 개인적인 질문을 던지거나, 상대방이 답하기 곤란한 질문을 던지는 것은 주의해야 한다. 영화 속에서도 로버트가 던진 질문으로 즐거웠던 저녁 식사 분위기가 일순간에 달라지는 부분이 등장한다.

로버트 　남편을 떠나고 싶나요?

프란체스카 　(당황하며) 아뇨. (정색하고 자리에서 일어나며) 물론 아니죠.

로버트 　그런 말해서 미안해요. 사과할게요.

프란체스카 　왜 그런 질문을 했죠?

로버트 　부담 없이 서로 질문하고 있다고 생각해서…. 미안해요.

프란체스카 난 우리가 대화를 하는 줄 알았는데 이상한 걸 물어보네요. 의미에 의미를 부여하고…. 난 너무 단순해서 이런 대화를 하려면 통역이 필요할 것 같네요.

로버트 미안해요. 사과하죠. 그럼 새벽에 다리에 가야 하니 이만 가겠습니다.

프란체스카 미안해요.

로버트 아뇨. 제 잘못이에요. 대단히 사적인 질문인데 제가 바보 같았어요.

프란체스카 좋은 밤을 망쳤네요.

이 외에도 초면에 월급이나 연봉을 묻는 것 역시 굉장히 실례임을 알고 있어야 한다. 예전에 교육생 중 처음 만난 분이 강사 일을 하면 한 달 수입이 얼마나 되냐고 물어서 적잖이 당황했던 적이 있다. 친한 친구나 가족도 조심스럽게 해야 하는 질문인데 심지어 처음 만난 사람이라면 당황스럽지 않을 수가 없다.

질문을 건네기 전 너무 개인적인 질문은 아닌지, 상대방이 대답하기 곤란한 질문은 아닐지 주의해서 질문하도록 하자.

남의 말을
따라 해도
괜찮습니다
;

〈파인딩 포레스터〉 : 명언을 활용할 것

"한마디 표현이 천 마디 가치가 있단다."

혹시 공동체에서 '장'을 맡고 있다면 건배사라든지 취임사 등 많은 사람 앞에서 갑작스럽게 한마디를 해야 하는 자리가 생기곤 한다. 혹은 짧은 소감을 이야기하거나 누군가에게 간단한 조언을 전해야 하는 순간도 생긴다. 이럴 때 무슨 말을 해야 할지 모르겠다면 누군가의 말을 인용해서 시작하는 것도 좋은 방법이다. 그렇게 하려면 평소 좋은 문장을 찾아 수집하려는 의지와 노력이 필요하다. 영화 〈파인딩 포레스터〉를 보며 한마디의 표현이 어떻게 힘을 발휘하는지 살펴보자.

마음에 드는 좋은 문장을 수집하라

평소 좋은 문장을 찾아 수집하려는 의지와 노력이 있다면, 갑작스러운 스피치 등에서 아주 유용하게 사용할 수 있다.

스피치 교육 첫 시간, 수강생 대다수는 대체 무슨 말을 해야 할지 모르겠다고 말한다. 이 이야기인즉슨, 자신 안에 수집된 문장들이 없다는 뜻이기도 하고, 어떻게 시작해야 할지 모르겠다는 말이기도 하다.

반면에 편안하게 막힘없이 스피치를 시작하시는 분들도 있다. 이런 사람은 말할 거리가 그들 안에 채워져 있는 것이다. 그래서 일단 말을 시작하면 적당한 이야기나 문장들을 꺼내어 쓰면서 어떻게든 스피치를 진행시켜 나간다.

생각해보라. 내 안에 좋은 문장들이 가득한데 어떻게 밖으로 나오지 않고 안에만 가득할 수 있겠는가! 좋은 향기가 퍼지는 것을 막을 수 없듯, 좋아하는 사람을 마주할 때 새어나오는 미소를 막을 수 없듯, 좋은 문장이 향기 나는 말이 되어 퍼져나가는 것 또한 막을 수 없다. 어쩌면 자꾸 말이 하고 싶어지거나, 또는 글이 쓰고 싶어질 것이다.

모름지기 내 안에 할 말이 있어야 말도 하고 싶어지고, 잘할 수 있다. 자신의 경험과 통찰도 좋고, 누군가에게 들은 이야기, 책에서

본 내용, 영화로 알게 된 것 등 간접 체험의 스토리들도 훌륭한 말할 거리가 될 수 있다.

이 책이 만들어진 이유도 이와 같다. 교육생을 비롯해 말을 잘하고 싶은 모든 분에게 좋은 문장을 대신 수집해 선물해주고 싶은 마음이 있었기 때문이다. 그야말로 말할 거리를 만들어주고 싶었다.

이 장을 통해 콘텐츠가 보충될 수 있도록 노력했으니 이제 여러분이 읽어보고 마음에 드는 문장들을 자신의 것으로 만들면 된다. 그리고 당신의 스피치에 반드시 사용해보기를 바란다. 그리고 더 나아가 스스로 좋은 문장을 찾아 수집하는 습관을 들이기를 바란다.

일단 시작하라

영화 〈파인딩 포레스터〉의 주인공 자말은 메모하는 습관을 가지고 있다. 글쓰기에도 관심이 많아 좋은 글이 생각나면 바로 수첩에 적어둔다. 자말이 살고 있는 동네에는 '창문 속 남자'라고 불리는 은둔자 한 명이 살고 있다. 그는 밖에 나가지도 않고 오직 창문으로만 몰래 밖을 바라보는 사람이다.

어느 날 자말은 친구들과의 장난으로 '창문 속 남자' 집에 몰래 들어가 그의 물건을 가지고 나오겠다고 한다. 그러나 집에 들어간 순간, 본인이 더 깜짝 놀라는 바람에 오히려 자신의 가방을 두고 나오는 실수를 한다.

이튿날 가방을 찾아온 자말은 그 안에 들어 있던 자신의 메모 수첩에 그가 하나씩 코멘트를 달아 놓은 것을 보게 된다. 그리고 나중에 수업 시간을 통해 '창문 속 남자'가 바로 유명한 작가 윌리엄 포레스터라는 것을 알게 되고, 그에게 글쓰기 수업을 받으며 특별한 우정을 나누게 된다는 이야기다.

포레스터가 자말에게 권하는 글쓰기 방법이 조금은 특이하게 느껴질 수도 있다. 그러나 글쓰기 전문가들 또한 글쓰기 첫 번째 조언으로 그저 무조건 써 보라고 권한다.

포레스터　(타자기를 두드리며) 시작해.

자말　뭘 시작하죠?

포레스터　(계속해서 타자기를 두드리며 글을 써 내려간다) 쓰라고.

자말　뭐 하시는 거죠?

포레스터　글을 쓰는 거야. 키보드를 두드리기만 하면 되는 거지. (잠시 멈추고 빤히 쳐다보며) 무슨 문제 있니?

자말　생각 좀 하고요.

포레스터　아니야, 생각은 하지 마. 생각은 나중에 해. 우선 가슴으로 초안을 쓰고 머리로 다시 써. 작문의 첫 번째 열쇠는 그냥 쓰는 거야. 생각하지 말고.

그러나 자말은 시간이 지나 해질녘이 가까워지도록 아무것도 쓰지 못한다. 글쓰기를 시작하지 못하는 자말을 위해 포레스터는 자신이 예전에 써 두었던 〈신념이 성숙하는 계절〉이라는 원고를 꺼내서 건네준다.

자말　이건 뭐죠?

포레스터　그걸 타이핑 하거라. 가끔은 타이핑의 단조로운 리듬이 페이지를 넘어가게 해주지. 그러다가 너만의 단어를 느끼기 시작할 때 쓰기 시작하는 거야.

말도 마찬가지다. 스피치 주제를 받으면 오랫동안 생각해보고 말을 하려고 하지만, 생각을 오래 한다고 해서 스피치가 딱히 잘되는 것도 아니다. 우선은 첫말을 어떻게든 시작해보고, 자신이 한 말을 다시 들어보고 수정 및 보완해나가는 방식으로 연습하는 것이 더 도움이 된다. 이 연습을 오랫동안 하다 보면 어떤 상황에서도 말을 이어나갈 수 있는 능력이 개발된다.

일상생활에서 우리가 말하는 상황을 보면 충분히 준비를 하고 말을 할 때보다 그냥 준비되지 않은 채 말하게 되는 상황들이 훨씬 더 많다. 아침에 일어나 문을 열고 나가는 순간, 오늘 하루 동안 어떤 말을 하게 될지 우리는 전혀 알지 못한다. 우연히 마주친 이웃집 아주머니가 어떤 말을 건넬지, 직장 동료가 무엇을 질문할지, 부모님이 전화를 걸어 뭐라고 말할지… 그런데 그때마다 아직 말할 준비가 되지 않았다며 잠시 준비할 시간을 달라고 부탁할 수도 없는 노릇이다. 그리고 실은 그렇게 하는 사람도 없다. 오히려 있는 그대로 편안하게 대화를 하면서 우리는 하루를 보내고 있다.

말을 막힘없이 술술 잘하기 위해서는 오히려 아무 말이나 시작하면서 말을 이어나가는 훈련을 해볼 필요가 있다. 초안을 마구 써 내려가라고 조언하는 포레스터의 말처럼 스피치 연습 또한 나오는 대로 끊임없이 주절주절 말해보는 연습을 해봐야 실제 상황에서도 당황하지 않고 말을 계속해나갈 수 있다.

당신의 말이 뒤죽박죽이고 엉망진창이어도 상관없다. 이 훈련의 핵심은 흐름을 놓치지 않고 계속 말해보는 것에 있다.

그리고 이 연습을 할 때 꼭 기억해야 할 것은, 반드시 녹음을 해야 한다는 것이다. 그리고 꼭 다시 들어보라. 자신의 목소리를 듣는 순간 녹음하는 것보다 더 괴로운 것이 듣는 것이었음을 깨달을 수 있을 것이다. 어쩌면 그간 자신의 이야기를 들어준 모든 사람들이 천사처럼 느껴질지도 모르겠다. 그들에게 감사하는 마음이 생겨날 수도 있다. 그만큼 자신의 목소리를 녹음해서 듣는다는 것은 고문처럼 느껴지는 일이다.

그러나 괴롭게 느껴지더라도 녹음된 자신의 목소리를 들으며 잘못된 점들을 수정 개선해보라. 그 후 머리로 고쳐서 다시 해보고 또 다시 해보는 것이다. 이렇게 반복하다 보면 나중에는 주어진 상황을 스스로 이끌어가며 스피치 하는 모습을 발견할 수 있을 것이다.

이 훈련은 즉흥 연설에도 도움이 된다. 원고에만 의지해서 스피치를 하다 보면 훗날 원고 없이는 말하지 못하는 상황이 벌어질 수도 있기 때문이다.

홈쇼핑을 진행하는 쇼호스트들은 아무런 원고 없이 큐시트만 보면서 방송을 한다. 그래서 쇼호스트가 되기 위해서는 즉석 PT라는 오디션을 통과해야만 한다. 어느 제품이 주어지든 원고 없이 즉흥적으로 멘트를 할 수 있어야 하는 것이다. 이것이 어떻게 가능할까? 평소 훈련이 돼 있기에 가능하다. 원고를 보지 않고 혼자서 술술 말하는 연습을 평소에 해 두어야 실제 방송에서 생기는 갑작스러운 돌발 상황에서도 주변을 잘 통제하며 진행할 수 있기 때문이다.

아나운서 시험을 준비하는 지원자들도 마찬가지다. 주어지는 한 가지 단어를 가지고 1분 스피치, 3분 스피치를 할 수 있어야 한다. 제시어를 들은 뒤 잠시 생각할 시간이 주어진다 해도 불과 20초 안쪽이다. 그러므로 곧장 말을 시작하면서 이어질 다음 말을 생각해야 한다. 이것이 과연 가능할까 싶겠지만, 놀랍게도 가능하다.

물론 처음부터 잘하는 사람은 아무도 없다. 처음에는 누구나 당황하고 말을 끝까지 이어나가지 못한다. 몇 마디 하다가 "죄송합니다. 처음부터 다시 할게요."라고 말하기도 하고, 조금 더 몇 마디를 하는가 싶더니 이내 포기해버리는 모습들도 보았다.

하지만 그럼에도 불구하고 거듭해서 반복했을 때 스피치는 달라진다. 훈련을 계속해서 반복하다 보면 어느새 다급한 상황에서조차 여유를 가지고 말하는 자신을 발견할 수 있다. 그야말로 스피치 진행 능력이 월등하게 좋아지는 것을 느낄 수 있을 것이다.

포레스터는 자말에게 '다른 문장들을 타이핑하다가 자신만의 단어를 느끼기 시작할 때 글을 쓸 수 있다.'라고 말했다. 스피치도 마찬가지다. 당신의 가슴에 와닿는 문장이 있다면 우선 그대로 따라서 말해보라. 어느 순간 그 많은 단어와 문장이 차곡차곡 쌓여서 자연스럽게 자신의 말이 되어 나오는 것을 경험할 수 있을 것이다. 이렇게 매일 매일을 훈련하다 보면 어느새 좋은 문장들이 쌓이게 된다.

의도적으로 자신의 마음에 드는 좋은 문장들을 찾아 나서도 좋다. 그렇게 한다면 스피치 실력은 훨씬 더 빨리 좋아질 수 있을 것이다. 평소 명언이나 명대사 등을 수집하려고 노력하면 더 좋다.

영화 속 자말의 대사를 보면 그의 머릿속에 많은 콘텐츠가 저장돼 있음을 알 수 있다. 이미 많은 문장을 수집해놓은 듯한 대사들이 곳곳에 등장한다. 아래는 영화 속 장면 중 한 백인이 흑인 거주 지역에 BMW 차를 주차하며 불안해하는 모습을 보이자 자말이 말을 건네는 장면이다.

자말 당신 차 안 건드려요.

차주 뭐라고요?

자말 누군가 어떻게 할까 봐 걱정하는 것 같아서요.

차주 여기라서가 아니라 어딜 가나 차 걱정이 되죠. 신경 쓰지 마요.

자말 그냥 차일 뿐이에요.

차주 그냥 차가 아니라 BMW에요. 그 회사에 대해 알 만한 사람이라면, 이게 보통 차가 아니라는 건 알 겁니다.

자말 그 말은 난, 알 만한 사람이 못 된다는 뜻 같네요.

차주 그런 말은 아니에요.

자말 제가 BMW에 대해 아는 거라곤 처음에 비행기 엔진을 만들었다는 겁니다. 프랜츠 팝이라는 사람이 시작했죠. 프랜츠 팝. 멋진 이름이에요. 1920년 전에 엔진을 만들었고, 6마일 상공을 날아올랐죠. 팝은 동료와 사업을 벌이기 시작합니다. 801 엔진이 만들어져 2차 대전 때 이 14기통 2,300마력 엔진이 7마일 상공에 떴죠. 시간만 더 있었다면 영국을 쑥대밭으로 만들고 전쟁도 이겼을 거예요. 이 차가 그렇게 나왔죠. 흰 프로펠러가 파란 하늘을 돌았죠. 전쟁이 끝난 뒤엔 비행기 엔진을 만들 수가 없게 됐고, 그때부터 BMW는 차를 만들기 시작하죠. 바로 이런 차 말이에요. 그런 차를 가지고 계시니 그 정도는 아시겠죠?

차주 (무안해하며) 역사 수업 고마웠소.

이는 명언도 아니고 좋은 문장도 아니다. 그저 자말이 인상적으로 기억하고 있는 어느 회사의 역사다. 그러나 이러한 정보를 저장해두었다가 적절한 상황에 사용하다니, 정말 근사하지 않은가! 자말이 들려주는 BMW에 대한 정보를 흘려보내지 않고 잘 수집해 둔다면 이다음에 또 누군가와 자동차와 관련된 이야기를 나눌 때 좋은 이야깃거리가 될 것이다.

명언을 저장하라

영화에는 고리타분하고 꽉 막힌 선생으로 등장하는 로버트 코로포드 선생과 자말의 명언 배틀이 등장한다. 로버트 선생은 자신만이 알고 있다고 생각되는 명언들로 자말을 당황하게 하려고 하지만, 자말은 지지 않는다.

로버트 위대한 사람들조차 대인관계가…
자말 나쁠 수 있다는 건 유감이다. 디킨스!
로버트 박동 소리가 들릴 것이다.
자말 키플링!
로버트 위대한 진실은 시작된다.

자말　　쇼우!

로버트 인간은 유일하게…

자말　　얼굴을 붉히고 그래야만 하는 동물이다, 마크 트웨인. 계속해보시죠.

이처럼 명언을 찾아서 모아두면 자말처럼 여러 상황에서 요긴하게 사용할 수 있을 것이다. 단, 로버트 선생처럼 상대방을 공격하는 데 사용하기를 권하지는 않는다.

"한마디 표현이 천 마디 가치가 있다."라고 말하는 포레스터의 말처럼 명언은 길게 말하지 않아도 깊은 감동을 전해줄 수 있다. 무엇보다 전달하고자 하는 의미를 길게 설명하지 않고도 함축적이면서도 정확하게 전달할 수 있다.

자신이 직접 명언을 만들어낼 수 없다면 감동을 주는 누군가의 명언을 잘 이용해보자. 인용 어구를 많이 사용할수록 당신의 이미지에 지성미를 추가할 수 있다. 그리고 사람들은 당신의 스피치에 깊은 인상을 받을 것이다.

독자들의 수고를 덜기 위해 이 책에 다양한 테마의 명언들을 정리해두었다. 필요한 상황에 아낌없이 잘 사용해보기를 바란다.

1) 사랑에 관한 명언

나이가 들어도 사랑을 막을 수는 없어요. 하지만 사랑은 노화를 어느 정도 막을 수 있죠.

_잔느 모로 (프랑스의 영화배우)

더 많이 사랑하는 것 외에 다른 사랑의 치료약은 없다.

_헨리 데이비드 소로우 (미국의 사상가 겸 문학가)

미숙한 사랑은 '당신이 필요해서 당신을 사랑한다.'고 하지만 성숙한 사랑은 '사랑하니까 당신이 필요하다.'고 한다.

_윈스턴 처칠 (영국의 정치가 겸 저술가)

사랑은 자신 이외에 다른 것도 존재한다는 사실을 어렵사리 깨닫는 것이다.

_아이리스 머독 (영국의 소설가 겸 철학자)

사랑은 아름다운 여자를 만나서부터 그녀가 꼴뚜기처럼 생겼음을 발견하기까지의 즐거운 시간이다.

_존 배리모어 (미국의 영화배우)

중요한 것은 사랑을 받는 것이 아니라 사랑을 하는 것이었다.

_윌리엄 서머셋 모옴 (영국의 소설가)

사랑이란 한 사람과 다른 모든 사람들 간 차이의 심각한 과장이다.

_윌리엄 셰익스피어 (영국의 극작가)

만유인력은 사랑에 빠진 사람을 책임지지 않는다.

_알버트 아인슈타인 (독일의 이론물리학자)

2) 인생에 관한 명언

인간은 선천적으로는 거의 비슷하나 후천적으로는 큰 차이가 나게 된다.

_공자 (고대 중국의 사상가)

젊은 날의 의무는 부패에 맞서는 것이다.

_커트 코베인 (미국의 록 뮤지션)

가는 곳마다 나보다 한 발 먼저 다녀간 시인이 있음을 발견한다.

_지그문트 프로이트 (심리학자 겸 의사)

인생은 겸손에 대한 오랜 수업이다.

_제임스 M. 배리 (영국의 소설가)

삶은 당신이 잠들지 못할 때 벌어지는 일이다.

_프란 레보비츠 (미국의 작가)

나만이 내 인생을 바꿀 수 있다. 아무도 날 대신해 해줄 수 없다.

_캐롤 버넷 (미국의 영화배우)

오늘 내가 죽어도 세상은 바뀌지 않는다. 하지만 내가 살아 있는 한 세상은 바뀐다.

_아리스토텔레스 (고대 그리스의 철학자)

인생은 흘러가는 것이 아니라 채워지는 것이다. 우리는 하루하루를 보내는 것이 아니라 내가 가진 무엇으로 채워가는 것이다.

_존 러스킨 (영국의 문학평론가)

장의사마저도 우리의 죽음을 슬퍼해줄 만큼 훌륭한 삶이 되도록 힘써야 한다.

_마크 트웨인 (미국의 소설가)

3) 성공에 관한 명언

비관론자는 모든 기회에서 어려움을 찾아내고 낙관론자는 모든 어려움에서 기회를 찾아낸다.

_윈스턴 처칠 (영국의 정치가 겸 저술가)

가장 잠재력 있는 뮤즈는 우리 안에 있는 어린아이이다.

_스티븐 나흐마노비치 (미국의 음악가)

성공한 사람보다는 가치 있는 사람이 되려 하라.

_알버트 아인슈타인 (독일의 이론물리학자)

위대한 이들은 목적을 갖고, 그 외의 사람들은 소원을 갖는다.

_워싱턴 어빙 (미국의 소설가)

품질이 물량보다 더 중요합니다. 한 번의 홈런이 두 번의 2루타보다 나아요.

_스티브 잡스 (미국의 기업인, 애플사의 창시자)

한 번 실패와 영원한 실패를 혼동하지 말라.

_스콧 피츠제럴드 (미국의 소설가)

나는 유별나게 머리가 똑똑하지 않다. 특별한 지혜가 많은 것도 아니다. 다만 나는 변화하고자 하는 마음을 생각으로 옮겼을 뿐이다.

_빌 게이츠 (미국의 기업인, 마이크로소프트사의 창시자)

성공하려는 본인의 의지가 다른 어떤 것보다 중요하다.

_에이브러햄 링컨 (미국 16대 대통령)

목표를 달성하는 사람들은 중요한 것부터 먼저 하고 한 번에 한 가지 일만 수행한다.

_피터 드러커 (미국의 경영학자)

그간 우리에게 가장 큰 피해를 끼친 말은 '지금껏 항상 그렇게 했어.'라는 말이다.

_그레이스 호퍼 (미국의 컴퓨터 과학자)

돈이 다 무슨 소용인가? 아침에 일어나고 밤에 잠자리에 들며 그 사이에 하고 싶은 일을 한다면 그 사람은 성공한 사람이다.

_밥 딜런 (미국의 대중가수, 작사가, 작곡가)

4) 시간에 대한 명언

나는 영토는 잃을지 몰라도 결코 시간은 잃지 않을 것이다.

_나폴레옹 (프랑스의 군인, 황제)

시간은 우리를 변화시키지 않는다. 시간은 단지 우리를 펼쳐 보일 뿐이다.

_막스 프리쉬 (스위스의 작가 겸 건축가)

이른 아침은 입에 황금을 물고 있다.

_벤자민 프랭클린 (미국의 정치인 겸 과학자)

미래의 가장 좋은 점은 한 번에 하루씩 온다는 것이다.

_에이브러햄 링컨 (미국 16대 대통령)

기다리지 말라. 적절한 때는 결코 오지 않을 것이다.

_나폴레온 힐 (미국의 작가)

한 시간을 낭비해도 된다고 생각하는 사람은 인생의 가치를 모른다.

_찰스 다윈 (영국의 생물학자)

매일이 마지막 날인 것처럼 살라.

_마커스 아우렐리우스 (로마의 황제 겸 철학자)

아름다운 여자의 마음에 들려고 노력할 때는 한 시간이 마치 1초처럼 흘러간다. 그러나 뜨거운 난로 위에 앉아 있을 때는 1초가 마치 한 시간처럼 느껴진다. 그것이 바로 상대성이다.

_알버트 아인슈타인 (독일의 이론물리학자)

5) 독서에 관한 명언

한 시간 독서로 누그러지지 않는 걱정은 결코 없다.

_샤를 드 스공다 (프랑스의 문학가)

독서가 정신에 미치는 효과는 운동이 신체에 미치는 효과와 같다.

_리처드 스틸 (영국의 저널리스트)

낡은 외투를 그냥 입고 차라리 새 책을 사라.

_오스틴 펠프스 (미국의 목사)

닫혀 있기만 한 책은 블록과 다름없다.

_토마스 풀러 (영국의 종교인 겸 역사학자)

가장 발전한 문명사회에서도 책은 최고의 기쁨을 준다. 독서의 기쁨을 아는 자는 재난에 맞설 방편을 얻은 것이다.

_랄프 왈도 에머슨 (미국의 목사 겸 사상가)

진정한 책을 만났을 때는 틀림이 없다. 그것은 사랑에 빠지는 것과도 같다.

_크리스토퍼 몰리 (미국의 저널리스트 겸 소설가)

때때로 독서는 생각하지 않기 위한 기발한 수단이다.

_아더 헬프스 (영국의 작가)

한 문장이라도 매일 조금씩 읽기로 결심하라. 하루 15분씩 시간을 내면 연말에는 변화가 느껴질 것이다.

_호러스 맨 (미국의 교육 행정가)

좋은 책을 읽는 것은 과거 몇 세기의 가장 훌륭한 사람들과 이야기를 나누는 것과 같다.

_르네 데카르트 (프랑스의 철학자 겸 수학자)

6) 도전에 관한 명언

여러분이 할 수 있는 가장 큰 모험은 바로 여러분이 꿈꿔오던 삶을 사는 것입니다.

_오프라 윈프리 (미국의 방송인)

배우는 거부당하기 위해 헤맨다. 거부당하지 않으면 스스로를 거부한다.

_찰리 채플린 (영국의 희극배우 겸 영화감독)

아무런 위험을 감수하지 않는다면 더 큰 위험을 감수하게 될 것이다.

_에리카 종 (미국의 작가)

사람들은 믿음이 부족하기 때문에 도전하길 두려워한다. 하지만 나는 스스로를 믿는다.

_무하마드 알리 (미국의 복싱 챔피언)

시도하지 않은 곳에 성공이 있었던 예는 결코 없다.

_허레이쇼 넬슨 (영국의 해군 제독)

해보지 않고는 당신이 무엇을 해낼 수 있는지 알 수가 없다.

_프랭클린 아담 (영국의 음악가)

열정 없이 사느니 차라리 죽는 게 낫다.

_ 커트 코베인 (미국의 록 뮤지션)

인생에서 최대의 성과와 기쁨을 수확하는 비결은 위험한 삶을 사는 데 있다.

_프레드리히 니체 (독일의 철학자)

고급스럽게
말할 수 있습니다
;

〈일 포스티노〉 : 비유로 표현할 것

"소중한 책으로 만들어 주시겠습니까?"

한마디 말일 뿐이지만 어딘가 특별하게 느껴지는 문장이 있다. 유독 고급스러운 표현을 자주 사용하는 사람도 있다. 이들의 공통점은 무엇일까?

〈일 포스티노〉는 우편물을 배달하는 주인공 마리오가 칠레의 유명한 시인 네루다를 만나 시와 은유의 세계를 배워가는 과정을 그린 영화다. 서정성과 영상미를 함께 감상하기 충분한 〈일 포스티노〉를 보며 아름답고 고급스러운 비유의 세계로 빠져보자.

언어 습관으로 품격이 드러난다

'고급지다.'라는 말이 있다. 고급스러운 면이 있다는 뜻으로 표준어로 따지자면 '고급스럽다.'의 잘못된 표현이나 근래에는 오히려 유머러스한 뉘앙스를 담은 '고급지다.'는 표현을 더 자주 사용하는 듯하다. "인테리어가 고급지다." "그릇이 고급지네." 등으로 표현하며 주로 물건이나 시설의 품질이 뛰어나고 값이 비싼 듯할 때 고급스럽다는 말 대신 사용한다. 그런데 물건이나 시설을 가리키던 이 단어가 지금은 사람을 표현할 때도 자주 사용된다.

"그 사람 만나보니까 사람이 참 고급지더라."

우리는 주로 어떤 사람에게 고급스럽다는 표현을 사용할까? 고가의 제품을 몸에 지니고 있는 사람에게 사용하기도 했겠지만 아마 그보다는 말과 태도, 취향에서 고급스러움이 묻어나는 사람들에게 더 많이 사용했을 것이다.

머리부터 발끝까지 명품으로 치장한 여성을 만난 적이 있다. 그야말로 스타일 자체가 고급스러운 사람이었다. 그런데 이 여성을 만나서 대화를 나눠 본 10명 중 9명은 이 여성에 대한 이미지를 '천박함'으로 결론지었다. 그 이유를 묻자 그들은 모두 한 목소리로 그녀의 생각과 언행에 문제가 있음을 지적했다. 값비싼 고가의 제품들이 한 사람의 품격을 결코 대신해줄 수 없음이 확인된 순간이었다.

물론 반대의 경우도 있었다. 많은 것을 이루었으나 자랑치 아니하고 겸손하게 말씀하시는 분, 한참 나이 차이가 나는 어린 사람에게도 존댓말로 상대방을 존중해주시는 분, 상대방이 불편하지 않도록 배려하며 적합한 단어와 표현을 찾으시는 분…. 이런 분들에게는 화려한 수식어가 붙지 않아도 그들의 고급스러운 품격을 자연스럽게 느낄 수 있었고 절로 존경심이 우러나왔다.

고대 그리스 희극 작가 메난드로스는 '그 사람의 인격은 그가 나누는 대화를 통해 알 수 있다.'고 말했다. 언어를 통해 그 사람의 생각과 마음은 반드시 드러나기 때문이다. 그래서 자신의 품격을 높이고 싶은 사람이라면 자신이 평소에 어떻게 말하고 있는지부터 스스로 점검해보아야 한다. 자주 사용하는 언어 습관부터 바로잡아야 자신의 평가도 바로 잡을 수 있을 것이다. 잘못 사용하는 습관적인 단어 때문에 사람들로 하여금 저평가를 당할 수도 있으니 말이다.

스피치 달인들은 비유로 말한다

말의 품격을 높이는 방법에는 여러 가지가 있겠지만, 그중 가장 쉬운 것이 '비유'를 활용하는 것이다. 청중들은 비유적 표현을 잘 사용하는 사람을 만나면 근사하게 느끼거나 품격의 클래스가 남다르다고 느낀다. 비유적 표현에는 사람들이 빠르게 반응하고 감동을 받는 편이다. 비유법은 표현하려는 대상을 그것과 비슷한 다른 대상에 빗대어서 표현하는 방식을 가리키는데, 비유를 하면 더 생생하게 전달할 수 있고, 전달하고자 하는 바를 조금 더 쉽게 이해시킬 수 있다. 그런데 장점은 이것뿐만이 아니다. 비유법을 잘 사용하면 언어의 격이 달라짐을 느낄 수 있다.

한 방송에서 김영하 작가가 날씨가 좋다는 뜻으로 '햇빛이 바삭바삭하다.'는 표현을 쓴 적이 있다. 작가다운 남다른 표현력이다. 유시민 작가는 '자연이 진공을 허용하지 않는 것처럼, 권력은 공백을 허락하지 않는다.'라고 표현하며 자신이 꼭 정치를 하지 않아도 또 다른 적임자가 나타날 것임을 비유적으로 표현했다. 정말 근사하지 않은가! 같은 표현이라 하더라도 비유법을 잘 사용하면 이렇게 언어의 질이 높아진다.

수많은 어록을 만들어내는 방송인 김제동의 문장에도 어김없이 비유법은 등장한다.

"내가 아직 피어나지 않았다 하여 자신이 꽃이 아닐 것이라 착각하지 마세요."

"앉아 있는 신사보다 서 있는 농부를 생각하며 하루를 보내세요."

"당신이 세 잎 클로버라고 해서 낙담하지 마세요. 만약 당신이 네 잎 클로버로 태어났다면 이미 누군가에게 뽑혀 사라졌을 겁니다."

"하늘의 별만을 바라보는 사람은 자기 발아래에 있는 아름다운 꽃을 느끼지 못합니다."

달변가로 통하는 그의 말이 매번 구체적으로 느껴지고 감동으로 다가오는 것 또한 비유법이 크게 한몫을 했기 때문이다.

74회 골든 글로브 시상식에서 공로상을 받은 메릴 스트립의 수상 소감이 한동안 SNS에서 뜨거운 관심을 받았다. 미국 대통령으로 당선된 도널드 트럼프의 인종차별 정책과 장애인 비하 언행들을 정면으로 비판하는 내용들을 담고 있어 자칫 날카롭고 위험할 수 있는 발언이었지만, 그녀의 표현 방식은 참으로 품위 있고 우아했다.

"올해 저를 가장 놀라게 한 연기가 하나 있었어요. 제 가슴에 완전히 사무친 연기였는데요. 잘해서도 아니고 훌륭한 점이 하나라도 있어서가 아니에요. 그것이 매우 효과적으로 목표를 이뤄냈기 때문이죠.

그 연기는 표적으로 삼은 청중들이 가짜 웃음을 짓게 만들었습니다. 미국에서 가장 존경 받는 자리를 원하는 한 남성이, 어떤 장애인 기자를 흉내 내는 순간이었습니다. 그는 그 기자에 비해 특권, 권력, 맞서 싸울 능력이 모두 월등히 컸어요. 그 순간 제 마음이 무너졌고, 지금도 고개를 들 수가 없어요. 왜냐하면 그건 영화가 아니었기 때문이에요. 그건 현실이었어요.

이렇게 공식적인 자리에서 힘을 가진 이가 남에게 굴욕감을 주려는 본능을 드러내면 다른 모든 이의 삶에 퍼져나갈 겁니다. 마치 다른 사람들도 그런 행동을 해도 된다고 승인하는 것과 같기 때문입니다. 혐오는 혐오를 부르고 폭력은 폭력을 낳습니다."

국내에서는 수상 소감을 밥상에 빗대어 표현했던 배우 황정민의 밥상 소감이 오랫동안 관심을 받았다.

"솔직히 저는 항상 사람들한테 그래요. 일개 배우 나부랭이라고. 왜냐하면 60여 명 정도 되는 스텝들과 배우들이 이렇게 멋진 밥상을 차려놔요. 그러면 저는 그냥 맛있게 먹기만 하면 되는 거거든요. 근데 스포트라이트는 제가 다 받아요. 그게 너무 죄송스러워요."

이처럼 비유법을 사용하면 일상의 스피치도 이렇게 근사한 스피치로 업그레이드 될 수 있다. 그런데 비유로 표현하는 능력은 어떻게 개발시킬 수 있는 것일까?

한 번 더 생각하면 가능하다

영화 〈일 포스티노〉를 보면 비유 표현에 대한 감을 잡을 수 있을 것이다. 주인공 마리오는 작은 섬에서 어부의 아들로 살아가다 칠레의 국민 시인, 네루다의 우편물을 배달하는 우체부로 일하게 된다. 그는 네루다에게 전 세계 여인의 팬레터가 도착하는 것을 보며 네루다의 언어에 특별한 매력이 있음을 직감하게 된다. 그리고 그와 가깝게 지내면서 섬마을 여자들의 관심을 끌고 싶어 한다.

얼마 지나지 않아 비유법에 심취한 마리오는 자신이 짝사랑하던 여성 베아트리체에게 고백할 용기를 낸다. 평소 초라하고 보잘것없고 자신감도 없어 보이는 그였지만, 그의 언어가 달라지자 베아트리체의 마음도 움직이며 마리오에게 관심을 가지고 사랑에 빠지게 된다. 영화는 사람의 마음을 움직이는 힘이 언어에 있음을 말해주고 있다.

마리오는 네루다와 친해지는 과정에서도 비유법을 사용한다. 네루다의 책에 사인을 받고 싶었던 마리오는 그 말을 어떻게 꺼내야 할지 몰라 혼자 거울을 보며 연습한다.

"실례지만, 여기 사인을 해주실래요?"

"사인을 부탁드려도 될까요?"

다양한 화법으로 공손하게 여러 번 연습하던 마리오는 이튿날 네루다에게 책을 건네며 이렇게 말한다.

"이 책을 소중한 책으로 만들어주시겠습니까? 부디 소중한 책으로 만들어주세요."

"사인 해주세요."라는 말을 "소중한 책으로 만들어주세요."로 바꾼 것이다. 사인을 한 책은 곧 소중한 책이라는 뜻이다. 평범한 사인 요청보다 훨씬 더 의미 있게 들리지 않는가! 그렇게 어렵고 복잡한 표현도 아니다. 그저 한 번 더 생각해보면 비유법은 쉽게 시작할 수 있다.

한번은 우편물을 전달한 마리오가 돌아가지 않고 우두커니 서 있자 네루다가 묻는다.

네루다　자네 왜 그러고 있는가? 우체통처럼 우두커니 서 있잖나!

마리오　장승처럼요?

네루다　아니, 장기판 말처럼 요지부동이었어.

마리오　도자기 인형보다 조용했죠.

네루다　〈본질에 관하여〉란 책 말고도 내가 쓴 시는 많이 있네. 내 앞에서 은유와 직유를 사용하지 말게.

마리오　뭐라고 하셨죠?

네루다　은유 말이야.

마리오　그게 뭔데요?

네루다　(웃으며) 은유? 글쎄, 은유를 무어라고 설명해야 하나. 은유란 말하고자 하는 것을 다른 것에 빗대어 말하는

거야.

마리오 시 쓰실 때도… 사용하나요?

네루다 물론이지.

마리오 예를 들면 어떤 건가요?

네루다 예를 들어 하늘이 운다면 그게 무슨 뜻이지?

마리오 비가 오는 거죠.

네루다 맞았어. 그런 게 은유야.

이윽고 마리오는 네루다를 찾아가 자신도 은유를 사용하는 시인이 되고 싶다고 말한다. 그러자 네루다는 이렇게 말한다.

네루다　해변을 따라 천천히 걸으면서 주위를 감상해보게.

마리오　그러면 은유를 쓰게 되나요?

네루다　틀림없을 거야.

마리오는 네루다의 조언대로 해변을 따라 걷고 사색하며 점점 더 은유와 시의 세계에 빠져든다. 그리고 네루다와 대화를 나누며 표현력도 점점 더 향상된다. 어느 날 네루다는 마리오에게 시 한 편을 들려주고 소감을 묻는다.

마리오　멀미를 느꼈어요. 그건 마치… 배가 단어들로 이리저리 튕겨지는 느낌이었어요.

네루다　배가 단어들로 튕겨진다고? 방금 자네가 한 말이 뭔지 알고 있나?

마리오　아뇨, 뭔데요?

네루다　은유야.

은유가 무엇인지 그 의미조차 제대로 알지 못했던 주인공 마리오가 바다를 보고, 달을 보고, 사람들을 관찰하고, 흠모하는 여인을 바라보며 그만의 언어를 만들어내는 과정을 영화를 통해 볼 수 있다.

영화에서 마리오가 한 문장 한 문장에 비유법을 적용해 마침내 자신이 사랑하는 여인을 위한 한 편의 시를 만들어냈던 것처럼 여러분도 한 문장부터 시작해 보기를 바란다. 그 문장들이 모여 당신의 스피치에 품격을 더해줄 것이다.

마지막으로, 마리오가 완성한 시를 소개한다. 언어의 아름다움과 품격을 느껴 보는 시간이 되기를 바란다.

당신의 미소가 나비 날개처럼 펼쳐집니다.
당신의 미소는 장미요, 땅에서 움튼 새싹이요, 솟아오르는 물줄기입니다.
그대의 미소는 부서지는 은빛 파도이며
순결한 여인과 함께 있는 것은 파도가 부서지는 백사장에 있는 것과 같습니다.
난 당신이 조용히 있을 때가 좋아요.
마치 당신이 없는 것처럼 느껴져요.

벌거숭이, 누구보다 아름다운 무인도의 밤처럼 섬세한 당신.
당신의 머리카락엔 달빛이.
당신은 당신의 손처럼 섬세합니다.

매끄럽고 소박하며 자그마한,

동그스름하며 투명한 달 곡선 사과처럼 향긋하며,

벌거숭이, 당신은 쌀알처럼 연약합니다.

벌거숭이, 당신은 쿠바의 밤처럼 푸르릅니다.

당신의 머리엔 포도나무와 별들이 있습니다.

벌거숭이, 당신은 여름철 사원처럼 웅장하고 황금빛입니다.

보고에도
원칙이 있습니다
;

<열정 같은 소리 하고 있네> : 보고의 구조를 이해할 것

"뭐 아무것도 안 하겠다는 거야, 뭐야?"

사회생활을 하다 보면 누군가에게 어떠한 내용에 대해 브리핑을 해야 하는 상황이 종종 찾아온다. 상사에게 개인적으로 보고를 하거나, 다수의 거래처 앞에서 프레젠테이션을 하는 방식도 있다. 제대로 말하지 못하면 상사에게 깨지기도 하고, 중요한 계약을 따내지 못할 수도 있는 아주 중대한 순간이다.

그런데 직장인들은 의외로 이 '보고'에 어려움을 느낀다. 생전 듣지도 배우지도 못한, 하는 사람도 듣는 사람도 잘 모르는 '보고 스피치'는 과연 어떻게 해야 할까? 영화 <열정 같은 소리 하고 있네>를 통해 보고 스피치에 대해 알아보자.

보고에도 원칙이 있다

"보고를 하는 방법은 회사에서 알려주는 게 아니라서 그냥 눈치껏 하다 보니 정확한 방법도 모르겠고, 자신도 없고 어려워요…."

"저는 뭔가 보고를 할 때마다 혼이 나요. 그래서 브리핑만 하려고 하면 심장이 두근거려요."

혹시 당신도 이런 고민을 가지고 있는가? 그렇다면 이제 보고의 원칙에 눈 뜰 시간이다. 기업 강의를 다니며 직장인들의 속내를 들어보니 생각보다 많은 사람이 보고에 대한 어려움을 느끼고 있었다. 하는 사람은 하는 사람대로 '어떻게 보고해야 할지' 그 방법을 몰라서 고민하고, 보고를 받는 사람은 '왜 보고를 저렇게밖에 못하나' 하고 답답해했다. 어느 기업의 팀장은 이렇게 하소연하기까지 했다.

"강사님, 보고 스피치라는 것도 있어요? 우리 회사에 이 교육이 진짜 필요해요. 직원들한테 보고하는 방법 좀 가르쳐주세요. 진짜 애들 보고하는 거 들어보면 그래서 뭘 하겠다는 건지 무슨 말이 하고 싶은지 아주 답답해 죽겠어요."

사실 이 정도로 보고에 대한 답답함을 느끼고 있을 줄은 몰랐다. 긴장도가 높은 프레젠테이션에 대한 고민은 많이 들어왔지만, 보고에 대한 어려움을 개인적으로 털어놓는 사람은 많지 않았기 때문이다. 그런데 이야기를 나눠본 뒤에야 그 이유를 알 수 있었다. 사람들은 보고하는 법을 따로 배워야 한다는 사실 자체를 인지하지 못하고 있었던 것이다. 그저 자신이 말을 못해서 생기는 문제라고 자괴감을 느낄 뿐, 여기에 어떤 묘안이 있을 것이라고 기대하지 못한 것이다.

그런데 '보고 스피치'라는 교육 과정이 따로 있다고 하니 이구동성으로 그 필요성에 대해 격하게 공감했다. 보고에도 원칙이 있고 구조가 있다. 즉, 보고를 위한 말하기가 따로 있다는 것이다. 이번 장에서 공개하는 보고의 노하우를 익혀 '보고의 달인'으로 거듭나길 바란다.

보고에서도 청중 분석은 필수다

영화 〈열정 같은 소리 하고 있네〉는 보고의 원칙을 보여주기에 참 좋은 영화라는 생각이 들었다. 영화 속 주인공인 수습기자 도라희가 보고의 원칙을 지키지 않아 매번 욕을 얻어먹기 때문이다.

입만 열면 욕이 절반이 넘는 하재관 부장은 도라희 수습기자에게 긴급 취재를 떠맡긴다. 아이돌 그룹의 차가 전복됐으니 빨리 병원으로 가서 취재를 해오라는 것이다. 잠결에 부장의 전화를 받은 도라희는 허겁지겁 병원에 도착하고 담당의사와 기자들이 주고받는 내용을 잘 받아 적는다. 인터뷰를 마치고 돌아서는 순간 부장에게 전화가 걸려오고, 부장은 어떻게 됐느냐고 물어온다.

도라희　늑골 골절과 안면부 함몰로 추정된다고 말씀해주셨어요.

부장　몇 번째 갈비뼈인데?

도라희　어…. 그거는 말씀 안 해주셨는데?

부장　야, 이 닭대가리야. 그걸 알아야 기사를 쓸 거 아니야! 빨리 알아봐!

도라희　누구한테요?

부장　매니저한테 이 ××야!

도라희는 허겁지겁 매니저를 찾아가서 질문을 하고, 부장에게 귀엽게 문자를 보낸다.

'케빈이 전신 엑스레이를 찍었대염~'

이 문자를 본 부장은 "문자 보내는 거 봐라, 이거."라고 혀를 끌끌 차며 곧장 전화를 건다.

부장　그러니까 몇 장이나 찍었냐고, 엑스레이를!"

도라희　아….

부장　야! 넌 닭대가리야? 새대가리야? 하나부터 열까지…. 빨리 알아봐!"

도라희는 다시 한 번 매니저를 찾아가고 엑스레이를 몇 장이나 찍었냐고 물은 후, 다시 부장에게 보고를 한다.

도라희　엑스레이는 32장 찍었고요. 그중 6장에는 문제가 발견돼서 내일 오전에 CT 촬영해야 한답니다.

하부장 : 그러니까 뭐 어디를 찍은 거야? 뭐 힙을 찍냐, 헤드를 찍냐, 뭐 코 찍니?

도라희　어, 그거는…?

하부장　널 보낸 내가 ×××다.

스피치에서 가장 중요하다고 강조하는 것이 청중에 대한 분석이듯, 보고에서 가장 중요한 것도 듣는 사람, 즉 보고를 받는 사람에 대한 분석이다. 만약 도라희가 상사에 대한 분석을 마친 상태였다면 그다음에 어떤 질문을 할 것인가에 대한 유추가 가능했을 것이다. 그러나 무엇을 궁금해 할지 상사의 다음 질문을 예측할 수 없다 보니 취재를 어떻게 해야 하는지도 알 수가 없고, 계속 쩔쩔매며 당황하고 만다.

반면, 취재 현장에서 마주친 대학 선배는 자신도 그 부장 밑에서 일한 적이 있다며 매니저에게 더 취재해오라고 하지 않았느냐고 여유 있게 묻는다. 부장을 이미 겪어본 터라 무엇을 요구할지 미래 상황을 미리 예측할 수 있는 것이다.

누구의 신입 시절이든 이런 순간이 있었을 것이다. 본인은 알아본다고 알아봤으나 상사가 짚어내는 포인트를 미리 알아차리지 못했던 그 시절. 우리들의 보고는 도라희와 다를 것이 없었을 것이다.

구조화 시켜서 보고하라

보고 스피치의 생명은 무엇보다도 신속성과 정확성이다. 모든 대표와 상사들은 늘 바쁘다. 긴 보고를 듣고 있을 만큼 한가하지 않다. 그래서 그들은 간결한 보고를 좋아한다. 타이밍을 놓치지 않고 신속하고 간결한 보고를 하되 정확한 정보를 원하는 것이다.

이때 도움이 되는 스피치 기법은 P.R.E.P이다. Point, Reason, Example, Point의 줄임말로, 보고하는 내용의 핵심과 의견에 대한 이유, 사례, 다시 한 번 의견으로 마무리 하는 구조다. 자초지종을 늘어놓는 보고가 아니라 핵심 내용만 간략하게 정리해서 시작하고, 이유와 사례로 신뢰를 심어준 다음, 다시 핵심 내용을 강조하는 방식이다.

Point : 보고의 핵심 내용

이번 제품의 컨셉은 'C 타입'으로 진행하려고 합니다.

Reason : 이유 설명

이번에 3일간 실시한 소비자 조사에서 'C 타입'의 선호도가 가장 높았는데요.

Example : 사례 제시

실제로 해외 신제품들을 봐도 'C 타입'이 요즘 인기가 많습니다. 경쟁사인 ○○기업 역시 'C' 타입 제품을 출시한 후 매출이 80% 이상 성장했습니다.

Point : 보고의 핵심 내용 반복

그래서 이번 신제품은 'C 타입'으로 추진해 보는 것이 좋을 것 같습니다. 이번 제품이 매출 성장에 기여할 수 있도록 끝까지 집중하겠습니다.

이런 형식으로 문장을 구성하면 핵심만 전달하면서도 논리적이고 신뢰를 주는 보고를 할 수 있다. 이와 함께 기억해야 할 것은 제안이나 해결책은 3가지를 넘기지 말라는 것이다.

세부 내용을 전달하는 방법 중에 첫째, 둘째, 셋째로 구조화시켜서 전달하는 방법이 있는데, 이 방식은 단순히 열거하는 것보다는 기억하기에 좋지만 3개 이상 넘어가면 집중력이 흐트러지고 기억하기도 좋지 않다. 아래의 예시를 살펴보자.

김대리 제가 알아보니까 A 방법이 있더라고요. A 방법은 운송하는 방법이 편리하다고 느껴졌습니다. 아! 그리고 B 방법도 있습니다. B의 경우는 속도가 빨라서 좋았습니다. 그런데 C도 괜찮을 것 같습니다. 가격을 좀 싸게 매길 수 있을 것 같아서요.

유과장 제가 알아보니 A, B, C 총 3가지 방법이 있습니다. 먼저 A는 운송하는 방법이 편리하고, B는 신속하게 마무리할 수 있고, C는 비용을 절감할 수 있다는 장점이 있습니다. 저는 이중에서 C가 가장 괜찮다고 판단했는데요, 비용 절감을 통해 마케팅 부분으로 조금 더 투자하면 효과적으로 홍보할 수 있다고 생각했습니다.

당신은 김대리와 유과장 중 누구의 보고에 더 신뢰가 생기는가? 누가 더 스마트하게 느껴지는가? 아마 유과장일 것이다.

이처럼 똑같은 내용을 전달하더라도 구조화하지 않으면 상대방의 머릿속은 너무 많은 단어들로 복잡해진다. 뭔가 듣기는 했지만 무슨 이야기를 한 건지 기억에 남지는 않는 것이다. 실제로 보고를 받은 뒤 상사들은 이런 말을 많이 한다고 한다.

"저 친구는 도대체 무슨 말을 하는 건지 모르겠어."

열심히 자료를 준비하고 보고한 모든 수고가 물거품이 되는 순간이다. 그러니 이런 상황을 만나지 않으려면 평상시에 말을 할 때에도 구조화 연습을 자주 해서 습관을 들이는 것이 좋다. 일상생활에서도 구조화해서 생각하고 말하는 훈련을 하면 나중에는 종이에 써서 미리 준비하지 않아도 자연스럽게 입에서 흘러나오는 순간을 만날 수 있을 것이다.

상사는 두괄식을 좋아한다

보고의 절대불변의 법칙! '두괄식'으로 보고하라.

우리의 보고를 받는 대상은 늘 바쁘다는 것을 기억하자. 직속상관이든 사장님이든 거래처 담당자이든 그들은 대체로 바쁘고 시간이 없다. 길고 지루한 보고를 듣는 것은 그들에게 너무 괴로운 일이다. 보고는 짧고 명확해야 한다. 반드시 결론부터 말하자.

혹시 그동안 보고할 때 "그래서, 결론이 뭐야? 결론부터 말해봐."라는 말을 들어왔다면, 그것은 당신의 서론이 너무 길다는 뜻이다. 지금 바로 결론부터 말하는 습관을 들여 보자.

가장 좋은 샘플은 바로 뉴스 기사이다. 도라희가 작성한 다음의 기사를 살펴보자.

장유진 대표의 계획적인 증거조작 드러나

배우 우지한의 3년 전, A양 성폭행 사건이 그의 소속사인 JS엔터테인먼트 장유진 대표의 계획적인 증거 조작으로 드러나 충격을 주고 있다. 익명의 제보자로부터 받은 정보를 토대로 추적한 끝에 사건의 배후가 JS엔터테인먼트 장유진 대표라는 것이 밝혀졌다. 당시 장 대표는 스타기획과 계약이 만료되는 우지한을 잡기 위해 계획적으로 증거를 조작하고 인멸한 것으로 알려졌다. 당시 성폭행 피해자인 배우 지망생 A양을 매수한 다음 계획적으로 우지한에게 접근시켜 호감을 산 뒤 그의 집에서의 술자리 도중 우지한의 술잔에 수면제를 타 정신을 잃게 만들어 사건을 조작하였고, 피해자의 진료를 담당했던 의사마저도 장유진 대표의 동생인 장유석 씨로 산부인과 전문의가 아닌 유명 연예인 성형외과 전문의로 알려져 의심을 사고 있으며, 장유진 대표의 사주를 받아 진단서를 조작한 것으로 보인다. (… 이하 생략)

기사는 거의 두괄식으로 작성된다. 핵심 내용을 첫 문장에 적고, 그다음 자세한 내용을 적어가는 순서다. 앞의 기사처럼 두괄식으로 말하는 연습을 시작해보자. 핵심을 정확하게 파악한 후 중요한 내용부터 먼저 보고할 수 있다면 당신의 보고는 조금 더 명쾌해질 것이고, 상사의 속도 조금 더 후련해질 것이다.

보고자의 의견도 필요하다

상사가 답답해하는 보고 유형에는 대체 뭘 어떻게 하겠다는 것인지 알 수 없다는 '어찌 하오리까 보고'가 가장 많았다.

"본인이 담당자인데 나한테 어떻게 해야 좋으냐고 물어보니 답답한 거죠. 그 내용을 가장 많이 알고 있는 사람이 본인일 텐데… 몇 가지 방법들이 있다고 제안을 하는 것도 아니고…."

상사는 일이 진행될 수 없는 상황만 나열하는 보고는 원하지 않는다. 그래서 어떤 해결책이 있는지, 담당자의 의견을 듣고 싶어 한다. 영화에서도 이런 상황이 등장한다. 부장이 연예기획사 대표로부터 넘겨받은 배우 우지한의 성폭행 증거 자료들을 도라희에게 전달하며 기사를 작성하라고 시킨다. 그러나 도라희는 기사를 작성하지 않는다. 그리고 그 증거 자료들을 다시 부장 앞에 가져다 내려놓는다.

부장　뭐야, 이거? 기사는?

도라희　기사를 쓰는 게 맞는 건지 잘 모르겠습니다.

부장　뭘 몰라? 무슨 소리야, 이게?

도라희　증거가 조작된 것 같습니다.

부장　무슨 조작?

도라희　진단서 떼준 의사가 장유진(기획사 대표) 동생인 것 같습니다. 그리고 다른 증거들도 좀 의심을 해봐야 할 것 같고요.

부장　그럼 쓰면 되잖아. 그렇게.

도라희　그걸 입증할 만한 증거는 아직 없습니다.

부장　뭐 아무것도 안 하겠다는 거야, 뭐야?

자신의 입장을 명확히 하지 않는 보고는 영화처럼 상사를 흥분하게 만들 수 있다. 상사가 원하는 유형의 보고는 다음과 같다.

"주신 자료들은 조작된 자료 같습니다. 장유진 대표 측을 조금 더 조사한 후 ○○시까지 기사 마무리 할 테니 시간을 연장해주십시오."

일을 진행하는 도중 어떤 문제가 발생이 됐다는 것에서 끝내지 말고, 그러니 나는 무엇을 어떻게 하겠다는 내용이 담긴 보고여야 한다.

또한 보고의 내용에는 어떤 것을 선택했을 때 앞으로 예상되는 결과도 담겨 있어야 한다. 제안은 있고 예상되는 결과치가 없다면 보고하는 자의 제안을 신뢰하기가 힘들다. 다음은 부장이 도라희에게 예상되는 결과를 알려주는 대사 일부다.

"권력을 가진 자에 대한 합리적인 의심은 기자의 특권이지. 양날의 검이야. 잘만 다루면 법보다 큰 힘을 발휘하지만 잘못 다루면 너 하나 모가지 잘리는 걸로 끝나는 게 아니야. 신문사 전체가 흔들릴 수 있다고. 그래도 할 거야?"

이처럼 제시한 방법을 선택했을 경우 예상되는 결과에 대한 보고가 없다면 무책임하고 신뢰할 수 없는 제안이 되는 것이다. 더불어 회사의 미래를 함께 고민하고 있음 또한 표현되어야 한다.

이 장에서 배운 것들을 제대로 숙지하고 적용한다면, 열정과 끈기로 마침내 상사로부터 욕 대신 칭찬을 받는 도라희의 '명품 보고 스피치의 기술'을 획득하게 될 것이다.

말더듬증도
고칠 수 있습니다
;

〈킹스 스피치〉: 과거의 두려움을 극복할 것

"어릴 때 두려워하던 걸
지금도 두려워하지 마세요."

영화 〈킹스 스피치〉는 말더듬증을 앓던 영국의 조지 6세 왕과 그의 언어 치료를 도왔던 언어치료사 라이오넬 로그의 실제 이야기를 바탕으로 만들어진 영화다. 스피치는커녕 대중 앞에서 말을 더듬던 왕의 스피치를 감동의 스피치로 바꿔놓은 전설의 언어 치료사, 라이오넬 로그의 특별 레슨을 영화 〈킹스 스피치〉를 통해 직접 만나 보길 바란다. 당신도 두려움을 극복하고 성공적인 대중 스피치를 할 수 있게 될 것이다.

스피치, 절대 포기하지 말자.

아이들에게 "스피치가 왜 싫어?" 하고 물으면 "떨려서요."라고 대답한다. 어른도 마찬가지다. 나이가 많다고 별반 다르지 않다. 성인 대다수 역시 떨린다는 이유로 스피치를 온몸으로 거부한다. 많은 사람 앞에서 이야기하다가 심하게 떨었던 기억이나 창피를 당해본 경험이 있는 사람이라면 그 트라우마가 계속해서 자신을 방해하곤 한다. 특히 말더듬증처럼 언어적인 장애로 생긴 트라우마를 가지고 있다면 더욱더 자신이 없어진다.

만약 당신에게도 말을 더듬는 고민이 있다면, 그래서 말하는 것에 대한 두려움이 있다면 영화 〈킹스 스피치〉부터 권하고 싶다. 이유는 하나다. 당신의 오랜 스피치 고민도 반드시 해결될 수 있다는 희망의 메시지를 전하고 싶기 때문이다.

스피치 교육을 해오면서 영화 속 주인공 조지 6세처럼 말을 더듬는 수강생을 여럿 만났다. 말을 더듬기 시작한 시점과 사연은 각각 달랐지만, 그들에게는 한 가지 공통점이 있었다. 그것은 바로 자신의 증상이 절대 좋아질 리가 없다는 확신 같은 것이었다.

"저는 이것저것 안 해 본 게 없어요. 그런데 안 고쳐지더라고요."

언어 치료도 받아보고, 또 다른 무언가도 해 봤으나 결국 고쳐지지 않았다는 이야기들… 그들의 음성에는 자포자기 심정이 담겨 있었다.

영화 〈킹스 스피치〉의 조지 6세도 마찬가지다. 자신의 말더듬증을 고치기 위해 여러 코치를 만나 훈련을 시도했지만, 이내 좌절하고 포기한다. 학위와 자격을 갖춘 유능한 언어 치료사들을 만났으나 개선의 여지가 없었으니 그에게 좌절감은 어쩌면 너무 당연한 것일지도 모른다.

그러나 그의 아내 엘리자베스 왕비는 포기하지 않는다. 다시는 치료하지 않겠다며 크게 상심한 왕을 위해 왕비는 괴짜 언어 치료사 라이오넬 로그를 찾아낸다. 괴짜 선생의 이미지로 비춰지지만, 사실 그는 왕을 무엇부터 변화시키고 훈련해야 하는지 꿰뚫어 보

고 있는 탁월한 코치다.

변화하기 위해 가장 먼저 필요한 것은 무엇일까? 교육받는 사람의 의지다. 간절히 바뀌고자 하는 교육생의 의지가 교육자의 열정과 만나야 한다. 아무리 훌륭한 선생님이라 해도 교육생의 의지가 없으면 변화는 기대할 수 없다. 또 교육생의 의지가 아무리 확고해도 교육자의 열정이 빠지면 변화의 속도와 방향은 달라진다. 그래서 훌륭한 선생님은 교육생의 의지부터 끌어올려 놓는다. 그리고 동기부여를 멈추지 않는다. 그런 의미에서 라이오넬은 훌륭한 선생님이다. 그가 가장 중요하게 여긴 것이 바로 교육생의 의지이기 때문이다.

많은 치료사를 만났지만 아무런 효과도 없었다고 푸념하는 엘리자베스 왕비에게 라이오넬은 "저를 만나면 달라집니다. 환자의 의지만 있다면 치료할 수 있죠."라고 말하며 자신감을 내비친다. 또 사적인 질문만 계속하고 치료는 언제 할 거냐고 따지는 조지 6세의 역정에는 "치료 받으실 마음이 생기면 시작하겠습니다."라고 담담하게 말한다.

라이오넬의 말처럼 교육생에게는 의지만이 필요하다. 의지만 있다면 스피치는 노력하는 만큼 좋아질 수 있다는 것을 영화를 통해 확인할 수 있다. 또, 언어장애를 가지고 있는 주인공이 변화하는 모습을 통해 당신에게도 희망이 생기기를 바란다.

잊지 말자. 스피치는 포기해야 하는 것이 아니라, 한 번 더 연습해야 하는 것일 뿐이다.

어릴 때 두려워하던 것을 지금도 두려워하지 말자

말을 더듬는 이유는 무엇일까? 대체로 긴장감이 원인이다. 글로벌 세계 대백과사전이 제공하는 자료에 따르면 말더듬증은 대략 200명 중 1명꼴로 나타난다고 한다. 여성보다는 남성이 압도적으로 많고 3~4세에 주로 시작된다.

그렇다면 3~4세 아이들의 긴장감은 어디에서 오는 것일까? 바로 부모로부터 온다. 어릴 때부터 말을 더듬게 된 사람들에게는 공통된 요인이 있는데 그것은 부모가 완벽을 추구하거나 굉장히 엄격하다는 것이다. 부모가 아이들에게 예의, 청결, 정돈, 순종 등을 지나치게 요구하면 아이들의 긴장과 부담이 높아진다. 그리고 그 긴장감이 심화되면 말더듬증으로 연결되는 것이다.

그런데 이때 아이의 말더듬증에 부모가 너무 집중하거나 치료를 시도하게 되면 오히려 아이가 과도한 불안을 갖게 된다. 스스로 말더듬증에 대한 인식이 커지면서 말하는 것에 대한 공포가 생기게 되는 것이다. 이것은 아이의 인성 발달에 부정적인 영향을 끼치고 오히려 말더듬증을 악화시킬 수 있다. (실제로 말을 더듬는 증상이 있는 사람 중 상당수가 다혈질인 성향이라고 한다.) 그래서 오히려 이 시기에는 특별한 치료를 하지 않는 편이 더 낫다고 보기도 한다. 그러나 부모의 양육 태도 개선은 반드시 필요하다. 부모가 달라지는 것만으로도 아이가 좋아질 수 있기 때문이다.

이에 반해 아동기 이후의 말더듬증은 반드시 치료가 필요하다. 심리적인 요인이 원인이라 할지라도 그 증상이 습관으로 굳어져버릴 수 있기 때문이다. 4~5세 때부터 시작된 조지 6세의 말더듬증은 전형적인 경우다. 그가 말을 더듬을 때마다 아버지인 조지 5세는 소리치며 윽박질렀고, 형은 더듬는 모습을 흉내 내며 놀려댔다. 무섭고 엄격한 아버지 때문에 왼손잡이를 오른손잡이로 바꿨고, 안짱다리도 매일 밤 고통스러워하며 교정했다. 그렇지만 무언가 하나씩 교정해 나가는 동안 아이의 과도한 긴장과 불안도 하나씩 쌓여간 것이다.

결국, 다 큰 성인이 된 이후에도 조지 6세는 아버지와 형을 두려운 존재로 기억하고 있었다. 그런 그에게 라이오넬이 말한다.

"어릴 때 두려워하던 것을 지금도 두려워하지 마세요.
당신은 스스로 행동할 수 있는 분이세요."

이것이야말로 말을 더듬는 모든 분께 보내는 이 영화의 핵심 메시지다.

'어릴 때 두려워하던 것을 지금도 두려워하지 말자.'

아버지에 대한 트라우마, 어머니에 대한 트라우마, 말하다가 창피를 당했던 스피치 트라우마, 친구들에게 놀림 받았던 기억 등등 그 무엇이 됐든 이젠 두려워하지 말자.

프랭클린 루즈벨트의 말처럼 '우리가 두려워해야 할 유일한 대상은 두려움 그 자체 뿐'이다. 스스로 만들어낸 공포와 두려움은 우리를 해치지 않는다. 혼자서 만들어 놓은 세계에서 한 걸음 빠져 나와 보자. 그리고 관찰자의 관점으로 바라보기 시작하면 조금씩 마음의 여유가 생길 것이다.

반복이 두려움을 이긴다

스피치 두려움을 극복하기 위해서 무엇을 하면 좋을까?

두려움을 극복한답시고 번지점프를 하러 가거나, 공동묘지에 찾아가려는 사람들이 있다. 그러나 높은 곳에서 떨어진다거나, 자정에 입에 칼을 물고 공동묘지를 찾아간다고 해서 스피치 두려움이 극복되지는 않는다. 자신감이 생기는 것도 아니다. 자신감은 그곳에 없다.

온전한 자신감은 매일매일 연습하며 달라지는 자신의 모습을 발견했을 때, 스스로 변화하고 성장하고 있음이 느껴질 때, 그때 만날 수 있다. 그리고 그 과정에서의 모든 경험이 긴장되는 순간을 어떻게 컨트롤해야 하는지에 대한 지혜도 알려줄 수 있다.

매일매일 연습하라. 같은 글도 여러 번 반복해서 읽다 보면 처음엔 자신 없던 문장도 거의 외울 정도로 능숙해진다. 작고 자신 없던 목소리에 힘이 생기는 것도 느낄 수 있다. 그리고 이 때 진짜 자신감이 생긴다.

조지 6세 또한 영화 속에서 매일매일 반복 연습을 통해 스피치 두려움을 극복해 나간다. 그는 어떤 방법으로 연습을 하며 말더듬에 대한 두려움을 이겨낸 것일까? 그가 라이오넬에게 받은 교육은 보이스 트레이닝에 해당된다. 말을 조리 있게 잘하기 위함보다는 전달하고자 하는 내용을 더듬지 않고 잘 낭독하고자 할 때 적합한 수업이다.

보이스 트레이닝에서 다루는 것은 크게 호흡, 발성, 발음이다. 이 중에서 가장 중요하다고 강조하는 것은 바로 호흡이다. 기본이기 때문이다. 호흡이 짧으면 숨 가쁜 소리가 나오기 때문에 말의 연결성도 떨어지고, 말을 더듬는 원인이 되기도 한다. 한 호흡으로 읽어야 할 문장을 여러 번 끊어서 읽는다면 당연히 더듬는 느낌을 줄 수밖에 없다. 또 호흡이 안 되면 발성과 발음도 무너지게 된다.

가수 박진영 씨가 오디션 프로그램에서 자주 강조했던 '공기 반 소리 반'의 이유가 여기에 있다. 안정적이고 긴 호흡이 있어야 울림 있으면서도 편안한 목소리, 정확한 발음을 만들 수 있다. 그리고 호흡이 실리는 만큼 소리도 힘 있게 멀리 나갈 수 있다.

호흡의 중요성을 느껴보고 싶다면 잠시 숨을 쉬지 않은 채로 긴 문장을 말해보라. 아마 점점 소리가 약해지고 나중에는 소리 자체가 나오지 않을 것이다. 안정된 목소리를 내고 싶다면 긴 호흡을 사용해야 한다. 그래서 복식호흡을 연습하는 것이다. 흉식호흡보다 깊은 복식호흡을 활용해 소리를 만들고, 이렇게 발성된 소리로 정

확한 발음을 하도록 해야 한다. 그리고 최종적으로는 낭독의 느낌이 아닌, 말하는 느낌이 날 수 있도록 말의 맛을 살려내는 것이 보이스 트레이닝의 목표다.

왕의 연설을 감동 연설로 바꿔 놓은 라이오넬의 트레이닝 방식에는 뭔가 특별한 것이 있다. 그의 노하우가 궁금하지 않은가! 주의 깊게 관찰하지 않으면 그냥 지나쳐버릴 수 있는 영화 속 언어 치료 방법에 설명을 덧붙여 정리했다. 영화와 다음 내용을 참고해 당신도 매일 연습해보기를 권한다.

말더듬증을 앓던 조지 6세의 훈련 방법

1) 조음기관(소리를 만드는 기관) 풀기

① 목과 가슴 사이 정도의 위치에 두 손을 맞잡아 모으고 앞뒤로 세게 흔들면 볼과 턱도 함께 흔들린다. 이때 혀에 힘을 빼고 "랄랄랄" 소리를 내며 턱 근육을 풀어준다. 손을 흔들지 않고 하는 것보다 훨씬 더 쉽게 턱 근육이 풀리고 혀의 움직임도 좋아질 것이다.

② 어깨를 축 늘어뜨리고 팔을 길게 늘어뜨린 채 제자리 뛰기를 하며 온몸의 긴장과 힘을 빼준다. 몸에 힘이 들어가면 좋은

목소리가 나오지 않는다. 힘 빼는 연습을 미리 해둬야 한다.

③ 입술에 힘을 빼고 고개를 좌우로 흔들며 입술을 풀어준다. 혹시 현기증이 심한 사람은 머리를 흔들지 말고 "푸~~" 하며 입술을 풀어주면 된다.

2) 복식호흡 연습

① 바닥에 누워 몸을 편안하게 한 후 코로 숨을 들이마신다. 이때 배가 부풀어 오르는지 체크하며 깊은 호흡을 연습한다.

② 배 위에 무게감이 있는 물체를 올려놓고 복식호흡을 연습해보자. 호흡을 제대로 잘하고 있는지 좀 더 쉽게 확인할 수 있을 것이다. 숨을 천천히 들이마시고 천천히 내뱉을수록 좋은데, 이를 통해 호흡을 길게 쓰는 훈련과 복근을 기르는 훈련을 동시에 할 수 있다. 영화에서는 왕비를 배 위에 앉혀서 연습하지만, 현실에서는 적당한 무게로 시작할 것을 권한다.

3) 발성, 발음 연습

① "아~~~" 하고 최대한 길게 소리를 낸다. 한 번의 호흡으로 몇 초 정도 소리를 낼 수 있는지 초를 잰다.

② 바닥을 좌우로 구르며 문장을 말해본다. 극한 상황에서 훈련해야 실전이 편안해진다.

③ 앉았다가 일어나며 첫 소리를 힘 있게 내뱉는다.

④ 발음이 어려운 특정 단어와 문장은 자연스럽게 발음이 될 때까지 반복해서 소리 내어 연습한다.

4) 말을 더듬는 순간에 대비

① 더듬는 단어 앞에 "음~~" 하고 허밍을 붙인다. "음~~~~엄마", "음~~~~아빠", "음~~~~다람쥐" 이렇게 연습하면 더듬는 느낌이 덜 든다.

② 말이 막혀 소리가 나오지 않는 느낌이 들 때는 좋아하는 노래 음정에 할 말을 넣어 노래를 부르듯 말해본다. 대부분 노래할 때는 더듬지 않기 때문이다.

③ 두 팔을 크게 돌려 움직이며 리듬감을 실어 문장을 연습한다.

④ 뒤꿈치를 살짝 들어 올렸다가 내렸다가 하며 말해본다. 몸의 긴장감이 줄어든다.

⑤ 그래도 더듬을 때는 눈을 감고 차분하게 기도하라. 더듬지 않게 도와 달라는 기도만으로도 마음의 긴장이 줄어든다.

5) 스피치 리허설

① 스피치 할 장소를 미리 방문한다. 낯선 공간이 주는 긴장감을 해소해야 한다. 미리 가서 발표 공간에 익숙해지자.

② 등장과 퇴장 동선을 확인하고, 목소리 음량을 체크한다. 마이크를 사용할 경우와 사용하지 않을 경우 자신의 목소리가 어떻게 들리는지, 목소리 볼륨이 적당한지 체크해야 한다.

③ 리허설은 꼼꼼할수록 좋다. 가능하다면 처음부터 끝까지 최대한 실전처럼 연습한다.

라이오넬의 훈련 방법은 말을 더듬는 사람뿐만 아니라 더듬지 않는 사람에게도 도움이 될 보이스 기초 훈련 과정이다. 영화 속에서 조지 6세는 매일 1시간씩 이와 같은 훈련을 반복해 연설을 성공적으로 마칠 수 있었다.

스피치는 절대 하루아침에 실력이 늘지 않는다. 매일매일 연습한 결과들이 모여 만들어지는 것임을 잊지 말자.

언어장애를 연습으로 극복한 사람들

영화는 조지 6세의 대중연설 실패 장면으로 시작한다. 1925년, 런던 웸블리에서 열렸던 대영제국 박람회에서 그는 폐막 연설을 맡게 됐지만, 자신의 첫 번째 대중연설을 심하게 더듬으며 망치고 만다.

첫 경험을 망치면 누구에게나 트라우마가 생기게 된다. 그럴 때는 실패의 경험을 빨리 성공의 경험으로 바꿔주는 게 중요한데, 영화에서는 언어 치료를 받는 것으로 이어진다. 영화 속 한 언어 치료사는 발음 교정을 위한 것이라며 구슬 7개를 입안에 넣고 문장을 소리 내서 읽으라고 요청한다. 그러자 옆에서 보고 있던 엘리자베스 왕비가 구슬을 왜 입에 넣는지 묻는다. 이에 언어 치료사가 답한다.

"데모스테네스가 사용했던 방법입니다."

데모스테네스, 그는 누구인가? 그리스의 변호사이자 정치가이며 뛰어난 연설가였다. 마케도니아의 왕 필리포스는 그를 두고 이렇게 말했다.

"그리스 군사 백만 명은 무섭지 않지만, 데모스테네스의 세 치 혀끝은 두렵다."

또 로마의 정치가 키케로는 '데모스테네스는 완벽한 웅변가'라고 칭찬했다.

그런데 놀랍게도 데모스테네스는 원래 말더듬증을 앓고 있었다. 그런 그가 어떻게 훗날 그리스의 뛰어난 연설가이자 정치가가 될 수 있었을까? 이 또한 그의 의지와 연습으로 가능했다. 그는 생존을 위해서라도 말을 잘 해야만 하는 속사정이 있었다. 어린 나이에 고아가 된 그는 많은 유산을 받게 됐지만 후견인들이 아버지의 유산을 모두 횡령했다. 그래서 그들을 고소하고 재산을 되찾기 위해 웅변술과 수사학을 익히기 시작한 것이다.

동기가 뚜렷하다 보니 당연히 배우고자 하는 의지는 필사적이었다. 강한 의지는 놀라운 집중력을 발휘하게 만들었고 그는 강도 높은 연습으로 고대 그리스에서 가장 뛰어난 웅변가라는 평가를 받게 됐다. 마침내 소송에도 이겼다. 그러나 이미 그들이 재산을 다 탕진하여 실제로 받은 것은 없었다고 한다.

그러나 이를 계기로 그는 생계를 위해 다른 사람의 법정 연설문을 대신 써주는 일을 하게 됐고, 많은 사람의 기구한 삶을 들으며 서민들의 삶을 공감할 수 있는 정치가이자 뛰어난 스피커가 될 수 있었다.

그의 연습법을 보면 그에게 스피치가 얼마나 간절했는지 느낄 수 있다. 자갈을 가득 물고 발음연습을 해서 입안이 다 헐어버리는가 하면, 선천적으로 짧은 호흡을 극복하기 위해 산을 뛰어 올라가며 스피치 연습을 하기도 했고, 파도에 맞서 목청을 키우기도 했다고 한다. 또 훈련에 집중하기 위해 수염과 머리카락을 절반만 자르고 다 자랄 때까지 외출을 금했다. 그리고 자신의 자세가 바르지 않다는 것을 깨달은 이후로는 천장에 칼을 매달아 자세가 흐트러지면 칼에 찔려 스스로 자세를 교정할 수 있도록 할 정도로 그의 훈련은 원시적이고 강도가 높다 못해 엽기적이고 살벌하기까지 했다. 뿐만 아니라 〈펠로폰네소스 전쟁사〉를 여덟 번이나 필사하며 표현력을 키울 만큼 대단한 노력파이자 연습광이었다. '작은 기회로부터 종종 위대한 업적이 시작된다.'라고 말했던 자신의 말처럼 작은 노력들을 모아 그는 위대한 연설문을 남기는 스피치 달인이 될 수 있었던 것이다.

선천적 말더듬증에 학습 장애아였던 사람이 또 있다. 제 2차 세계대전을 승리로 이끈 지도자 윈스턴 처칠이다. 그의 연설은 전쟁 중 불안한 상황 속에서도 영국민들은 하나로 결집될 수 있게 할 만큼 영향력이 있었다.

극심한 열등감에 혀까지 짧았던 처칠은 도대체 어떻게 명연설가가 될 수 있었을까? 그 또한 자신의 타고난 약점을 무수한 연습을 통해 극복했다. 그는 〈로마제국 쇠망사〉를 베껴 쓰며 스피치 훈련을 했다고 전해진다. 또 명 연설문을 완전 암기하고 따라 읽기를 무한 반복하는 연습으로 스피치 달인이 될 수 있었다. 더불어 자신의 선천적 결핍과 후천적인 열등감을 유머로 승화하며 자신을 희화화할 수 있는 여유와 용기로 국민들에게 다가갔다.

처칠의 유머는 일화를 통해서도 많이 알려져 있다. 지각쟁이였던 그는 정치인이 돼서도 의회에 매일 늦게 출석했는데, 하원의원 시절 처칠의 상대후보가 매번 늦는 처칠의 게으름을 공격했다. 그러자 처칠은 "당신도 나처럼 예쁜 아내를 데리고 산다면 늦을 수밖에 없을 것이오."라고 반격했다. 공개연설에서 상대후보를 유머로 반격한 그는 선거에서 승리를 거두었다.

한번은 연설을 하기 위해 단상에 오르다가 넘어진 적이 있는데 이 모습을 보고 국민들이 즐거워하자, "여러분이 즐겁게 웃을 수 있다면, 한 번 더 강단에 올라오다 넘어지겠습니다."라고 말하며 청중들을 즐겁게 하는 순발력을 발휘했다.

시스코(CISCO)의 CEO였던 존 챔버스 또한 난독증이 있었다. 난독증은 읽기나 말하기를 제대로 못 하는 증상으로, 스피치에 있어 매우 큰 장애라 할 수 있다. 이것은 지능의 문제가 아니라 글자를 읽으려고만 하면 단어와 문장들이 춤을 추듯 너울거리는 게 문제다. 철자도 마구 섞이는데 예를 들면 코끼리를 끼리코라고 하거나, saw를 was로 읽는다고 한다. 그랬던 그가 어떻게 해서 매출이 12억 달러이던 회사를 400억 달러 규모로 키워냈으며 'CEO들이 가장 존경하는 CEO'에 선정될 수 있었을까? 그 또한 발표 자료를 완벽히 외울 정도로 반복해서 연습했기에 가능했다.

톰크루즈와 아인슈타인도 난독증을 극복한 사람들이다. 이들 또한 반복에 반복을 거듭해 언어의 장애요소를 극복해냈다. 언어 장애로 인한 스피치 두려움을 이겨낸 사람들은 모두가 다 연습광이라는 공통점을 가지고 있다.

《팔지 마라, 사게 하라》의 저자 장문정 작가는 난독증을 이겨낸 사람으로 덴마크의 미카엘 헨보르라는 남성을 소개한다. 미카엘 헨보르는 난독증을 이겨냈을 뿐만 아니라 언어학자들이 가장 어려운 언어라고 말하는 타밀어까지 구사한다고 한다. 난독증을 가진 사람이 자신의 모국어뿐만이 아니라 영어와 심지어 그 어렵다는 타밀어까지 유창하게 구사하는 게 어떻게 가능할까?

저자는 미카엘 헨보르의 비법과 노하우를 알아내고야 말겠다는 불타는 의지로 그에게 접근했었다고 책에서 밝히고 있다. 특별한 방법으로 화술을 연습하거나 그만의 비법과 노하우가 있을 것이라 믿었던 것이다. 그러나 그가 공개한 노하우는 너무도 간단했다.

"Just more practice."

역시 연습이다. 말하기에 대한 트라우마가 있는 사람이라면 누구나 말하기를 두려워할 것이다. 다시 더듬게 될까 봐, 또는 같은 실수를 반복하게 될까 봐 두려워지는 것이다. 그러나 그 두려움 때문에 우리의 말할 권리를 포기하지는 말자. 당신에게도 말할 권리가 있음을 기억하라. 잘하고 못하고는 중요한 것이 아니다. 말할 수 있고 표현할 수 있는 존재임에 감사하자. 그리고 어떤 종류의 언어 장애를 가지고 있든, Impossible을 I'm Possible로 바꿀 수 있는 건 철저한 의지와 반복적인 연습뿐임을 기억하길 바란다.

세상에 완벽한
스피치는
없습니다
;

〈블랙스완〉 : 완벽주의를 벗어날 것

"널 방해하는 건 항상 너 자신이야."

영화 〈블랙스완〉은 완벽한 연기에 집착하는 한 발레리나의 이야기다. 그녀의 지나친 완벽주의는 곧 심각한 불안 증상으로 이어진다. 스피치에서도 너무 완벽하고자 하는 욕심은 오히려 불안감을 키운다. 스스로 지나친 완벽주의에 사로잡혀 스피치 불안 증상이 생겨난 것은 아닌지 영화 〈블랙스완〉을 보며 체크해보길 바란다. 이번 장에서는 완벽주의 외에도 스피치 불안 증상을 만드는 원인과 해결책에 대해 살펴보고자 한다.

지나친 완벽주의는 독이다

〈블랙스완〉은 완벽해지려는 지나친 욕망이 얼마나 큰 불안감을 불러오는지 너무나 잘 보여주는 영화다. 주인공 니나는 명문 발레단의 수석 발레리나다. 그녀는 새롭게 각색한 '백조의 호수'에서 백조와 흑조를 모두 연기해야 하는 주인공으로 발탁된다. 그런데 흠잡을 곳 없이 우아하고 완벽한 백조 연기와는 다르게 흑조 연기는 좀 불안하다. 착한 딸로 살아온 캐릭터 때문일까, 순수한 연기는 잘 표현하나 무대를 압도하는 강렬한 카리스마는 느껴지지 않는 것이다.

그러던 어느 날, 도발적이고 관능적인 발레리나 릴리가 등장한다. 새롭게 입단한 릴리는 겉모습부터 강렬하고 매혹적이다. 감독은 니나와 릴리의 연기를 비교하기 시작하고 이에 불안감을 느낀 니나는 흑조 자리를 빼앗기게 될까봐 극심한 압박감에 시달린다. 급기야 흑조 연기에 강한 집착을 보이며 광기 어린 망상에 사로 잡혀 점점 피폐해져 간다.

현실과 환상을 구분하지 못하며 완벽함만을 추구하던 그녀는 흑조 연기를 성공적으로 마쳤지만, 현실 속 자신에게는 심각한 부상을 입힌다. 그런 상황 속에서도 스스로 'I'm perfect(나는 완벽해).'라고 평가하며 마지막까지 완벽함에 대한 집착을 보이는 모습은 무섭기까지 하다. 이토록 지나친 완벽 추구는 오히려 독이 된다. 스트레스를 높여 몸을 상하게 하고 긴장감을 고조시킨다.

스피치 상황에서도 물론 마찬가지다. 완벽하고자 하는 지나친 욕심은 오히려 스피치를 방해하는 요소가 된다. 영화 속 토마스 감독의 말처럼 '자신이 자신을 가장 크게 방해하게 되는 것'이다.

스피치를 두렵게 만드는 것은 늘 자기 자신이다. 스스로 만들어낸 생각이 스피치를 두렵게 만든다. 그동안 스피치가 괴롭게 느껴졌다면 혹시 너무 완벽해지려는 마음 때문은 아니었는지 되짚어보길 바란다. 그리고 〈블랙스완〉을 보면서 지나친 완벽주의가 오히려 자신을 해칠 수도 있음을 깨닫고, 완벽주의를 조금은 버려보는 계기가 되기를 바란다.

떨리는 게 정상이다

대기업 건설회사에 다녔던 친구가 갑자기 스피치 고민이 생겼다며 문자 대화를 보내왔다. 평소에 말도 잘하고 재밌는 이야기도 잘하던 친구인데, 언젠가부터 사람들 앞에서 말하는 게 너무 떨린다는 것이다. 그래도 친한 친구가 스피치 코치로 활동하고 있으니 분명 묘책을 얻을 수 있을 거라 생각하고 고민 상담을 요청했을 것이다.

"떨릴 땐 어떻게 해야 돼?"

친구의 질문에 나는 이렇게 답했다.

"뭘 어떻게 해. 떨리면 떨어야지."

친구는 대화창에 'ㅋㅋㅋ'를 수십 개 정도 연달아 남기고 다시 일터로 사라졌다.

이처럼 스피치 상담을 비롯해 강의 현장에서 만나는 대다수 분들의 가장 큰 스피치 고민은 바로 발표 불안이다. 그래서 어떻게 해야 안 떨 수 있는지를 묻는다. 그리고 이어서 묻는 질문,

"강사님은 강의할 때 안 떨리시죠? 그러니까 이렇게 강의도 하고 그러겠죠?"

그럼 그분들께 진실을 밝히기 위해, 그리고 용기를 드리기 위해 이렇게 대답한다.

"저도 떨려요."

전문 강사도 긴장한다니, 이 사실이 놀랍게 들리면서도 한편으로는 반가운 소식임을 안다. 자신만 떠는 것이 아니라는 안도감 때문일 것이다. 대부분의 사람은 발표 불안증을 비정상적인 증상으로 생각한다. 다시 말해, 자신이 소극적이거나 낯을 가리거나 소심하다거나 하는 문제가 있어서 사람들 앞에서 말할 때 긴장하는 것이라고 판단한다. 그러나 발표 불안, 무대 공포, 긴장감 등은 지극히 정상적인 반응이다.

물론 이 말이 믿기지 않을 수도 있다. '떨리는 게 정상이라니 말도 안 돼', '전혀 긴장하지 않고 말하는 주변 사람들만 해도 몇 명인데' 라는 생각이 들지도 모르겠다. 그러나 이 말이 사실임을 증명해 보이겠다.

한때, 〈나는 가수다〉라는 프로그램이 인기였다. 기성 가수들 중에서도 특히 가창력을 자랑하는 베테랑 가수들이 출연해 경합을 벌였는데, 매주 진행될 때마다 출연자들은 긴장된다는 말을 돌아가면서 하곤 했다. 그들은 모두 프로였다. 몇 십 년 이상의 시간 동안 노래를 업으로 삼아온 사람들이지만 그 순간만큼은 그들 역시 긴장하고 있었다.

국민가수 김건모 씨도 자신의 무대에 오르기 전 너무 긴장하고 집중한 나머지 페트병 뚜껑도 열지 않은 채 물을 마시려던 모습이 방송에 포착된 적 있다. 전 국가대표 선수였던 강심장 김연아 선수도 경기가 시작되기 전에는 항상 긴장된 표정으로 입장했고, 박태환 선수 역시 긴장을 풀고 마인트 컨트롤을 하기 위해 항상 헤드폰을 끼고 등장하던 모습을 기억할 것이다. 심지어 가수 설운도 씨도 수십 년간 무대에 올랐지만, 여전히 모든 무대는 항상 긴장된다고 말했다.

각 분야의 전문가라 할지라도 긴장되는 마음은 어쩔 수 없이 찾아온다. 중요한 순간일수록, 기대해온 순간일수록, 잘해야 한다는 부담과 압박이 있는 순간일수록 떨리고 긴장되는 마음은 프로든 프로가 아니든 누구나 같은 것이다. 그러니 부디 긴장되고 떨리는 순간이 오더라도 자괴감에 빠지거나 자포자기 하지 말기를 바란다.

증명해 보였듯 긴장감은 지극히 정상적인 우리의 여러 감정 중 하나일 뿐이다. 우리의 감정 매커니즘이 고장나서 작동하지 않는다면 모를까, 우리가 정상인인 이상 앞으로도 떨리는 순간, 긴장되는 순간은 계속 맞이하게 될 것이다.

그렇다면 이 불편한 증상으로부터 평생 벗어날 수 없다는 말인가? 떨리는 순간마다 느껴왔던 창피를 계속 겪어야 한다는 말인가? 그렇지 않다. 언제나 방법은 있다. 다만 고민의 핵심을 달리해야 한다. 지금 중요한 건 떨리는 그 자체를 문제로 보는 것이 아니라, 이 긴장감과 떨림을 어떻게 처리할 것인가의 문제로 넘어가야 한다.

아무리 긴장이 되더라도 프로들은 자신의 무대가 시작되는 순간부터는 전혀 다른 모습을 보인다. 가수든 선수든 방금 전까지만 해도 긴장한 표정이 역력했지만, 막상 집중하기 시작하면 완전히 다른 눈빛과 자신감 충만한 모습을 보여준다. 우리가 목표로 하는 것이 바로 이것이다.

떨리고 긴장되는 감정은 정상이지만, 이것을 컨트롤 할 수 있어야 프로가 될 수 있다.

낯선 환경에 익숙해져라

발표 불안을 극복하기 위해서는 먼저 어떤 상황일 때 떨리는가를 생각해보아야 한다. 아마도 '낯선 환경'이 빠질 수 없을 것이다. 물론 평소 낯선 곳을 좋아하는 사람도 있다. 나 역시 새로운 환경을 아주 좋아하는 호기심 많은 사람이다. 그러나 스피치 상황은 조금 다르다는 것을 말하고 싶다. 새로운 환경을 눈으로 만나는 신선함과, 그곳에서 스피치 하는 불편함은 많이 다르다.

스피치 소그룹 교육을 진행하다 보면 첫날은 모두가 어김없이 긴장한다. 평소 긴장을 잘 안 하던 분들도 "아, 정말 떨리네요."라는 말로 스피치를 시작한다. 그렇게 한 3주쯤 지나고 나면 이제 서로 익숙해져서 긴장감이 많이 줄어들거나 사라진 상태로 스피치 훈련이 진행된다. 그러나 그 상태에서 멤버가 살짝 바뀌어 새로운 사람이 몇 명이라도 들어오게 되면 또다시 "새로운 분들이 계셔서 그런지 오늘은 조금 떨리네요."라고 말하는 수강생이 생기곤 한다. 하지만 그 긴장감의 강도가 처음과는 다르게 약해져 있음 또한 스스로가 느낄 것이다.

익숙하지 않은 새로운 환경은 사람을 긴장시킨다. 그 긴장감으로 더 신중해질 수도 있고, 흥분될 수도, 불안해질 수도 있다. 긴장감은 삶의 어느 순간이든 찾아올 수 있을 것인데 이 긴장감을 어떻게 활용할 것인가는 각자의 숙제이다.

그럼 구체적으로 어떻게 하면 좋을까? 익숙하지 않은 새로움이 긴장감을 만들었다면? 간단하다. 미리 가서 익숙해지면 된다.

나 역시 대학이나 기관, 기업 등으로 외부 강의를 갈 때마다 항상 강의할 장소를 미리 체크한다. 직접 가볼 수 있는 경우는 찾아가서 미리 보기도 하고, 인터넷 사이트에 접속해 교육 장소를 확인하거나 혹은 담당자 분께 장소를 찍어서 보내달라고 부탁을 드린다. 그리고 강의 시작 최소 1시간 반에서 2시간 전에 도착해 강의할 곳을 다시 한 번 확인한다. 공간과 친해질 시간을 먼저 갖는 것이다.

이런 습관이 생긴 데는 이유가 있다. 예전에 스피치 롤 모델이었던 선생님께서 본인은 기업 강의를 나갈 때 최소 2시간 전에는 도착해서 혼자 장소를 확인하고 리허설을 한다고 말씀해주셨다. 신선한 충격이었다.

'저렇게 베테랑이신 분도 2시간 전에 도착해서 미리 점검하신다니….'

정말 대단하고 존경스럽게 느껴졌다. 그 이후 강사가 되고 나서, 그분의 조언이 종종 귓가에 맴돌았다. 덕분에 항상 미리 준비하는 성실한 강사가 될 수 있었고, 현장에서 느낄 수 있는 긴장감을 최소화 할 수 있었다.

익숙해져야하는 것은 낯선 공간뿐만이 아니다. 담당자분도 통화만 했지 실제로 얼굴을 뵙는 것은 강의 현장이 처음일 때가 많다.

교육생들도 물론 처음 보는 분들이다. 먼저 도착해 공간을 둘러보고 있으면 한 분, 두 분 도착하기 시작한다. 그분들과 눈을 마주치고 인사를 건넨다. 그렇게 처음 보는 사람들과도 안면을 트고 익숙해지는 과정을 거쳐야 한다. 하나씩 하나씩 낯선 요소들과 익숙해지고 공간과 먼저 친해진 후 사람들을 맞이하면 훨씬 더 편안한 상태에서 강의를 시작할 수 있게 된다.

중요한 프레젠테이션을 앞두고 있는가? 혹은 오디션이나 면접을 앞두고 있는가? 그렇다면 낯선 환경에 미리 익숙해지는 것이 큰 도움이 될 것이다. 장소를 미리 알아보는 것은 물론, 그날의 의상과 메이크업, 헤어에도 미리 익숙해지길 바란다. 익숙해지면 편안해진다.

예상치 못한 상황에 대비하라

예상하지 못했던 상황에서도 두려움은 생긴다.

대학 신입생 오리엔테이션 때 선배 대표로 진주의 '난 괜찮아'를 부르며 엄청난 환호를 받았던 적이 있다. 이날을 계기로 나는 '노래 좀 부르는 아이'로 학교에 소문이 났고, 칭찬에 둘러싸여 정말로 내가 실력이 좋다는 착각을 하며 지냈다. 그러다 한 친구가 학부 가요제에 학부 대표로 나가보라고 권했다. 머뭇거림 없이 결정하고 예선을 치르기 위해 무대에 올랐다.

각 학부에서 나온 학생들이 강당 좌석을 가득 채워 앉아 있었고, 나는 당당하게 리아의 '눈물'을 선곡했다. 그리고 예선에 합격하면 본선에서는 에스더의 '뭐를 잘못한 거니'를 부를 참이었다. 나름 히든카드를 숨겨둔 전략적 선곡이었다.

전주가 흘렀고 노래방 기계의 친절한 손가락 표시에 맞춰 노래를 시작했다. 그런데 그 순간, 망했음을 직감할 수 있었다.

마이크에 에코가 전혀 없는 것이다. 그때부터 심장은 미친 듯이 뛰기 시작했다. 급기야 목소리는 염소마냥 떨리기 시작했다. 그야말로 생목소리로 소리만 빽빽 지르는 음치가 되고 말았다. 이게 도대체 웬 창피인가! 대체 이 무대에 왜 올라온 것일까! 객석에 앉은 동기들은 얼굴을 손으로 가리며 나 대신 창피함을 감당해주고 있었다. 정말 고개를 들 수 없을 정도로 얼굴이 벌겋게 돼서 무대를 내려왔다. 그리고 다짐했다. '다신 무대에서 노래하지 않으리….'

평소에 노래도 많이 불러봤고, 무대에 대한 자신감도 어느 정도 있었다. 장소와 객석의 사람들은 낯설었지만 이미 충분히 연습한 곡으로 노래를 부른 것이었기에 시작할 때의 긴장감은 크지 않았다. 그러나 이 모든 안정감이 마이크의 에코 하나로 무너져버린 것이다. 수백 번을 들어본 내 목소리가 그렇게 낯설게 들리기는 그날이 처음이었다.

노래 부르는 것을 업으로 삼는 사람들은 저마다 자신만의 마이크를 가지고 다닌다. 가수 이승환 씨는 노란색 마이크를, 아이유 씨는 연보라색과 민트색 마이크를 들고 다닌다. 개성 있는 스타일링을 위함이기도 하겠지만, 예상하지 못한 변수에 대비하고자 하는 노력이 아닐까. 미리 익숙해진 자신만의 마이크가 있어야 훨씬 더 안정감이 생긴다. 마이크의 상황은 항상 다르다고 생각해야 한다. 공연이나 행사 현장에서 가장 먼저 하는 것 역시 마이크 테스트다. 그만큼 중요하고 예민한 현장 도구이기 때문이다.

마이크 때문에 난감했던 경험이 또 있다. '락 페스티벌'이라는 행사에서 한국어, 영어 아나운서로 진행을 맡았을 때의 일이다. 마이크 테스트를 해보니 마이크에서 메아리 현상이 생겼다. 원래는 마이크로 목소리가 들어감과 동시에 무대 쪽 스피커를 통해 동시 출력이 되어야 하는데, 몇 초 정도 간격을 두고 소리가 나오고 있었다.

그러니까 이미 2초 전에 "신사 숙녀 여러분"이라고 말했는데 "곧 공연이 시작되오니"를 읽고 있을 때 그제야 스피커에서는 "신사 숙녀 여러분"이 나오는 것이다. 예전에 개그맨 정종철 씨가 옥동자 연기를 하며 교장선생님 성대모사를 했을 때처럼 "여러분~ 여러분~ 우리는~ 우리는~" 이런 식으로 들렸다. 이 문제를 기술팀에서 해결하고자 했으나 결국 해결되지 않은 채로 행사는 진행됐고, 나는 한쪽 귀를 막고 사회를 볼 수밖에 없었다.

변수는 마이크에만 있는 것이 아니다. 모든 음향 시스템, 영상 시스템 등을 체크해야 한다. 모든 도구와 호흡을 맞춰봐야 한다. 항상 느끼는 것이지만 현장에는 늘 변수가 생긴다. 그래서 사전 리허설이 필수적이다. 예상하지 못한 상황을 최소화 시키고 대안을 마련하기 위해서 미리 준비한 상황대로 전체 사전 리허설을 해보는 것이다.

사용할 동영상이 있다면 사전에 미리 꼭 재생시켜봐야 한다. 이때 화면에 영상은 끊어지지 않고 잘 나오는지, 화면의 밝기와 음량은 적절한지 등을 확인해야 한다.

또 슬라이드 자료를 준비한 경우에는 폰트가 망가지지 않고 잘 나오는지도 확인을 해야 하고, 자신의 목소리 크기가 적정한지 마이크 음량 체크도 해야 한다. 목소리가 너무 크게 나오면 청중들이 듣기 불편해하고, 집중력은 흐트러진다. 그때 가서 조율하려고 하면 흐름이 끊기기 때문에 프로답게 사전에 모든 것을 체크하길 바란다.

그래서 나는 1:1 면접 지도를 위해 취업준비생들과 만날 때도 최대한 디테일한 상황까지 준비하게끔 한다. 면접에서 발생할 수 있는 돌발 상황에 최대한 대비하기 위해서다. 이력서와 자기소개서 내용을 토대로 예상 가능한 질문들뿐만 아니라, 아무 의미 없는 질문, 압박 질문 등을 모두 준비해 모의 면접을 보도록 지도한다.

아나운서를 지망하는 학생들은 카메라 면접을 앞두고 실전과 똑같은 연습을 한다. 면접 당일에 입을 정장을 입고, 헤어와 메이크업을 하고, 힐까지 신고 연습에 임한다. 이 또한 미리 익숙해지고 변수를 예측하기 위해서다. 새로 산 신발을 막상 신어보니 생각지도 못했던 특정 부분이 불편할 수도 있고, 몸에 잘 맞는다고 생각했던 치마가 걸을 때마다 살짝 살짝 올라가는 느낌을 받을 수도 있다. 현장에서 이런 일이 생기면 얼마나 당황하겠는가.

미리 준비하자. 되도록 철저하게 준비해서 예상 가능한 상황을 많이 만들자. 그럼 자기 자신에 대한 믿음 또한 더욱 강해질 것이다.

가면 효과를 상상하라

너무 많은 시선이 자신에게만 집중되면 누구나 불편함을 느끼게 된다. 굳이 많은 시선까지도 필요치 않다. 당장 바로 앞에 있는 사람이 나만 빤히 바라보며 내 행동에 집중하고 있다고 생각해보자. 굳이 눈을 마주치지 않아도 날 보고 있는 것이 틀림없는 그 불편한 시선에 대해 우리는 알고 있다. 여러 사람 앞에서 스피치를 한다는 것은 이 불편한 시선을 견뎌야 하는 일이기에 떨리고 불안하다.

한때 뮤지컬 배우로 활동하다 지금은 배우 지망생들을 교육하고 있는 지인이 있다. 지인의 경험담을 들어보고자 무대 공포증에 대한 질문을 했더니, 본인은 무대 공포증뿐만 아니라 낭독 공포증까지 있었다고 고백했다.

신인 시절, 대본 리딩을 위해 처음으로 배우들과 모인 자리였는데, 본인 차례가 점점 다가오자 심장이 쿵쾅거리기 시작했다고 한다. 수십 명의 눈동자가 자신만 바라보는 것 같고, 자신의 대사에만 집중하는 것 같아 너무 떨렸다고 한다. 그는 떨리는 마음을 부여잡고 대본 리딩을 간신히 마쳤다.

그리고 드디어 공연 날, 또다시 심장이 두근거리기 시작했다. 그런데 놀랍게도 무대에 올라 자신의 연기를 펼치는 동안은 전혀 떨

리지 않더라는 것이다. 밝은 조명 때문에 객석은 모두 암흑이었고 눈에 보이는 게 정말 아무것도 없었단다. 그야말로 '눈에 뵈는 게 없어서' 긴장이 안 됐던 것 같다고 농담처럼 말했지만 그것이 전혀 틀린 말은 아니다. 객석의 불이 모두 꺼지면 누구의 시선도 느껴지지 않는다. 그 덕분에 사람들의 시선으로부터 조금 자유로워질 수 있다.

그런데 그런 지인도 사람들 앞에서 스피치 하는 경우에는 처음부터 끝까지 계속 긴장을 한다고 했다. 노래를 부르거나 연기를 하는 것은 자신이 아닌 다른 캐릭터의 모습으로 하는 것이지만, 스피치는 온전히 자신이 노출되는 느낌이 든다는 것이다.

〈복면가왕〉이라는 TV 프로그램이 있다. 출연진들이 가면을 쓰고 나와 자신의 정체를 숨긴 채 노래를 부르는 프로그램인데, 가면이 벗겨지기 전까지 출연진은 평상시와 다르게 대담해진다. 평소 강한 남성의 이미지였던 한 가수는 가면을 쓰고 있는 동안 애교를 보여주기도 했고, 부끄러움이 많았던 사람은 우스꽝스러운 성대모사를 시도하기도 했다.

이것이 바로 '가면 효과'다. 가면을 쓰면 자신 본연의 모습을 감췄기에 안도감이 생긴다. 그래서 자신과 전혀 다른 캐릭터를 연출하기가 훨씬 더 쉬워지는 것이다. 청중들이 진짜 나를 보는 것이 아니라, 전혀 다른 캐릭터를 보고 있다고 느끼기 때문에 시선에 대한 부담감도 조금은 덜어낼 수 있다.

문제는 스피치를 할 때마다 가면을 쓰고 할 수 없다는 것이다. 그렇다면 부담스러운 청중의 시선을 어떻게 극복할 수 있을까?

바로, 가면 효과를 상상하는 것이다. 마치 가면을 쓴 것처럼 다른 캐릭터가 됐다고 생각을 해보자. 어떤 캐릭터로 보이고 싶은지는 본인이 정하면 된다. 예를 들어 평소 수줍음이 많지만 당당한 스피커의 모습으로 스피치를 하고 싶다면, 마치 당당한 스피커의 역할을 맡은 배우처럼 상상하며 연기해보는 것이다. 스피치 하는 순간이 영화 혹은 연극 무대에서 자신이 맡은 역할일 뿐이라고 생각하면 태도에서부터 변화가 오는 것을 느낄 수 있다.

또 가면을 썼을 때처럼 청중의 시선에 압도당하지 말고, 본인이 적극적인 아이컨택을 시도해볼 수도 있다. 관객의 시선을 피할수록 긴장감은 더욱 커지게 된다. 청중 중에서도 가장 호의적인 표정을 짓고 있는 사람이 한 명쯤은 꼭 있게 마련이다. 그런 사람부터 찾아서 아이컨택을 시도하고 점점 시선을 넓혀나가면 긴장감도 금세 진정될 수 있다.

기억하자! 스피치가 두려워지는 순간에는 가면 효과를 상상하며 연기자가 되어보는 것이다.

자신감은 연습한 만큼 생긴다

한 대학교에 '발표 울렁증 극복하기'라는 주제를 가지고 특강을 나갔을 때 간단한 설문조사를 했다. 발표 울렁증의 가장 큰 원인이 무엇인지를 묻는 조사였는데 가장 많이 나온 답변은 '연습 부족'이었다.

그렇다. 실제로 발표하기 전 떨리는 가장 큰 이유는 '준비를 못해서'이다. 프레젠테이션 스피치 교육 시간에 교육생들로부터 가장 많이 듣는 첫 마디도 "제가 준비를 많이 못해서 떨리네요. 이해하시고 들어주시면 감사하겠습니다."라는 말이다. 이 말을 하는 분은 어김없이 끝까지 제대로 마무리를 하지 못한다. 아마 자신도 예상했던 결과일 것이다. 그래서 첫 시작부터 이해하고 들어달라는 부탁으로 자신감 없이 시작하게 된 것이다.

공무원 스피치 교육을 위해 지방을 방문했을 때, 한 공무원 분이 이런 이야기를 했다.

"저희는 외부 강사를 초청해서 강의를 많이 듣는데요. 몇몇 강사님들은 강의 시작하기 전에 '바빠서 준비를 잘 못했으니까 부족해도 이해해주세요'라는 말을 하더라고요. 솔직히 저는 그게 너무 이해가 안 됐었는데… 오늘 강사님 수업을 들어보니 역시 그렇게 말을 하면 안 되는 게 맞죠?"

돈을 받고 강의를 하는 프로가 준비를 못해서 죄송하다는 이야기로 시작했다니… 충격이었다. 준비가 부족한 경우 실수가 생기는 것은 물론이고, 죄송하다는 사과를 반복하느라 전체 흐름은 계속 끊기게 된다. 청중에겐 자신감 없는 모습을 보이고, 전하고자 하는 바도 제대로 전달이 안 될 것이다. 결국 최악의 경험을 본인 스스로 한 번 더 만든 셈이다.

연습을 하지 못했다는 것은 스스로 불안함의 요소를 안고 시작하는 것이다. 불안감 속에서는 절대 좋은 스피치가 나올 수 없다. 불안감은 긴장감을 증폭시키기 때문이다. 연습만 충분히 해도 자신감은 향상된다. 연습하기 전과 후를 비교해 봤을 때 조금씩 나아지고 있음이 바로 확인되기 때문에 스스로 자신감을 얻을 수 있다. 그래서 중요한 자리일수록 최대한 실전과 똑같이 연습하라고 조언한다.

나 역시 첫 강의에 대한 부담감을 실전 같은 연습으로 덜어낼 수 있었다. 생방송을 준비하던 그 마음으로 돌아가 강의 시작부터 마지막까지를 실제 상황이라고 가정하고 연습했다. 강의할 때 입을 옷을 입고, 메이크업과 헤어를 하고, 강의하는 날 신을 구두를 신고

2시간을 서서 연습했다. 어떤 모습으로 보일지를 수시로 체크했으며, 흐름이 끊긴다고 해서 대충 넘어가거나 처음부터 다시 시작하거나 하지 않았다. 마치 실전에서 실수를 한 것처럼 최대한 자연스럽게 다음 문장과 이어 나갔다.

그 모든 과정을 녹화했고 연습이 끝나면 영상을 다시 확인했다. 화면에 비춰지는 내 모습과 목소리를 실제로 접해봐야 자신의 부족한 점을 스스로 발견할 수 있기 때문이다. 이 작업이 자신의 스피치에 대한 객관적인 평가를 내릴 수 있도록 도와준다.

나의 첫 영상은 정말 끔찍했다. 심지어 보다가 졸았다. 그때 깨달았다.

'아, 내 말투가 지루하구나!'

본인이 한 강의를 보고 졸고 있으니, 누가 그 강의를 듣고 좋아하겠는가! 그 즉시 강의를 대대적으로 손봤다. 지루한 부분을 체크하고 새로운 재미 요소들로 강의를 채워나갔다. 그런 뒤에 다시 녹화를 하고 점검해봤다. 이번에는 최소한 졸지는 않았다. 그새 처음과는 달라진 강의가 만들어진 것이다. 그렇게 두 번을 더 반복하고 나서야 마음에 드는 강의를 만들어낼 수 있었고, 나의 첫 강의를 성공적으로 마칠 수 있었다.

영상도 그렇지만 특히나 자신의 목소리가 녹음된 음성 파일을 듣는다는 것은 굉장히 괴로운 일이다. 우선은 전자기기를 통해 나오는 목소리부터 마음에 들지 않을 것이다. 대다수의 경우가 '이건 내 목소리가 아니야'라고 부정한다. 자신의 목소리를 나의 귀로 듣는 것과 기계를 통해 듣는 것은 상당히 다르기 때문이다.

그럼에도 불구하고 녹음을 하거나 녹화를 해서 들어보는 이 고통스러운 과정을 꼭 경험해 보길 바란다. 아나운서나 쇼호스트를 준비하는 친구들은 이러한 작업이 생활화되어 있다. 그렇게 하지 않으면 개선할 점을 놓치는 경우가 많기 때문이다. 심지어 본인이 말해놓고도 "제가 그랬어요? 정말요?" 하고 되묻기도 한다. 녹화된 것을 다시 확인하고 나면 그제야 "아, 진짜 저한테 그런 버릇이 있네요." 하고 인정한다.

당신의 첫 영상 혹은 녹음 파일도 분명 충격적일 것이다. 그러나 좌절하지 마시길 바란다. 충격적일수록 좋으니 말이다. 문제점이 발견됐다는 것은 좋아질 가능성을 내포하고 있다. 듣는 귀가 발달됐다는 뜻이니, 스스로 어떤 부분에 보완이 필요한지 알 수 있을 것이고, 자신의 변화도 예민하게 찾아낼 수 있을 것이다.

진짜 심각한 것은 듣고도 모르는 것이다. '이 정도면 괜찮은데?' 하고 여기는 순간 발전은 없다. 그러니 자신의 목소리를 듣고 충격을 받았다면, 기뻐하라! 이제 좋아질 일만 남은 것이다.

안무가이자 뮤지컬 배우로 활동하고 있는 친동생에게 매번 오디션 볼 때마다 떨리지 않느냐고 물어본 적이 있다. 동생은 너무 긴장돼서 술을 마시고 오디션을 본 적도 있다고 했다. 그런데 신기하게도 지금은 전혀 떨리지 않는다는 것이다. 그 비결이 뭐냐고 물으니 명언을 남겼다.

"나는 연습을 실전처럼, 실전을 연습처럼 해."

연습할 때는 실전처럼 진지하게 집중해서 연습하고, 실전 상황이 되면 긴장감과 부담감을 떨쳐버리기 위해서 연습 때처럼만 한다는 것이다. 정녕 연습에 충실했던 사람이 할 수 있는 말이다. 동생이 위대하게 보이는 순간이었다.

스피치도 마찬가지다. '연습을 실전처럼, 실전을 연습처럼' 해보자. 스피치는 타고나는 것이 아니라 연습으로 완성된다. 모든 스피치의 달인들이 마이크만 잡으면 술술 이야기하는 것 같아 보이지만, 대부분은 엄청난 훈련과 연습을 통해 그 자리에 있는 것이다. 다만 그 연습 과정은 '백조의 다리'와도 같아서 눈에 보이지 않을 뿐이다.

아이돌 가수들은 기본적으로 3년 이상의 연습기간을 거쳐서 데뷔를 한다고 한다. 하나의 곡을 가지고 그렇게 오랜 시간 연습을 반복해서 우리 앞에 등장한다. 얼마나 지겨운 시간들을 보냈을 것이며 얼마나 신물이 나도록 연습을 했겠는가. 누구도 예외는 없다. 연습에 연습을 거듭한 자만이 '자신감'이라는 달콤한 열매를 맛볼 수 있다.

완벽주의자들의 더 나은 완벽을 위해

스피치에 두려움을 느끼는 마지막 이유는 앞서 언급했던 것과 같이 완벽하고자 하는 마음 때문이다. 완벽하게, 실수 없이 해내고자 하는 마음이 자신만의 페이스를 잃게 만든다. 사실 스피치뿐만 아니라 일상에서도 지나친 완벽 추구는 우리에게 해가 될 때가 있다.

평소 요리하기를 좋아해서 다양하게 이것저것 만들어서 먹는 편인데, 이상하게도 손님이 와서 실력 발휘를 좀 하려고 하면 평소처럼 안 된다. 더 맛있게, 더 잘해보려는 마음으로 매번 요리를 하지만, 결과는 늘 평소보다 못하다. 과도하게 신경을 쓰다가 생기는 일이다.

이러한 현상을 의사들 사이에서는 'VIP 신드롬'이라고 부른다. 가까운 사람이거나 중요한 고객이어서 더 신경 써서 잘해주려고 했으나, 오히려 실수가 생기는 현상을 말한다.

〈케이팝스타〉라는 오디션 프로그램에서 심사위원으로 출연한 박진영 씨가 자주 하는 심사평이 있었다. "너무 잘하려고 해서 온몸에 힘이 가득 들어가 있다."는 말이다. 힘이 들어가 있으니 고음에서 소리가 시원스럽게 열리지 못하고. 편안해 보이지도 않고, 결과적으로 무대를 즐기지 못하는 모습으로 보여 안타깝다는 말을 여러 번 했다.

혹시 당신도 잘해보려고 애쓰다가 무언가를 평소보다 더 망친 경험이 있는가? 그렇다면 완벽함에 대한 강박을 왜 버려야 하는지 이해할 수 있을 것이다. 실전에서 완벽하려는 충동은 더 많은 긴장감을 불러올 뿐이다. 그리고 지나친 긴장은 온몸에 힘이 들어가게 만든다. 예민하게 만들고, 여유가 없어 보이게 만든다. 완벽하려는 시도가 오히려 실수를 유발하는 격이다. 그렇다고 대충 할 수도 없는 것이 완벽주의자들이다. 마음이야 대충 하고 싶지만, 늘 꼼꼼하게 다시 욕심을 내는 것이 완벽주의자들의 특징이다.

그래서 제안한다. 완벽주의자들이여! 그대들의 더 나은 완벽을 위해 당신의 완벽주의는 준비 단계에서만 마음껏 발휘하라. 사전에 철저하게 준비했던 스티브 잡스처럼 말이다. 그리고 실전에서는 '실수 좀 하면 어때' 하는 마음으로 여유를 갖자. 아이러니하게도 '실수 좀 해보자' 하는 마음이 실수를 줄이는 데 도움을 준다.

몇 년 전, 서예를 배우러 갔을 때 선생님은 붓에 힘을 빼라고 하셨다. 검도를 배울 때도 검에 힘을 빼라고 한다. 골프를 시작할 때도 어깨에 힘을 빼라고 한다. 좋은 소리를 내고자 할 때도 몸뿐만 아니라 턱과 혀, 입술 등에 힘을 빼야 한다. 모든 분야에서 프로로 넘어가는 단계에는 힘 빼는 과정이 꼭 있다. 진정한 고수는 힘을 뺄 줄 아는 사람이다. 그러나 고수의 길이 쉽지 않듯, 힘 빼기는 결코 쉽지가 않다. 그것은 오랜 시간 반복의 힘으로 얻어지는 것인데, 무수히 반복하며 실패한 경험이 힘 빼기를 가능하게 해준다.

힘을 줘야만 할 수 있다고 생각했던 무언가를 힘을 빼고도 할 수 있게 된다면 그것은 당신이 조금 더 발전했다는 의미일 것이다.

그러니 준비되지 않았다고, 완벽하지 않다고 해서 피하거나 숨지 말자. 아직 완벽하지 않다는 이유로, 실수를 할 것 같다는 막연한 두려움만으로 스피치 기회를 계속 피한다면 힘 빼고 스피치 하는 방법을 영원히 터득할 수가 없다. 실수하는 경험을 통해 극복하고 터득해야 한다. 완벽하지 않아도, 부족한 점이 많아도 한두 번 경험이 늘어나면 나중에는 알게 된다. 꼭 완벽하지 않아도 된다는 것을… 실수했다고 해서 엄청나게 큰 일이 나는 것도 아니라는 사실을….

엄청 긴장하고 떨렸던 무대도 막상 지나고 나면 별거 아니었다는 생각이 들 때가 있을 것이다. 그렇게 몇 번의 경험을 하다보면 실수하지 않으려는 생각보다는 말하는 순간을 즐겨야겠다는 생각을 하게 될 것이다. 그리고 바로 그 순간이 당신의 스피치가 더 완벽해지는 순간이다.